Natasha Brummer

gente

Libro del alumno 2

Autores:
Ernesto Martín Peris
Neus Sans Baulenas

Coordinación editorial y redacción: Agustín Garmendia
Pilotaje: Nuria Sánchez
Corrección: Eduard Sancho, Maria Eugènia Vilà

Realización: Estudio Viola
Diseño y dirección de arte: Ángel Viola
Maquetación: Mariví Arróspide
Ilustraciones: Pere Virgili, Ángel Viola

Fotografías: Pierre Hussenot, Miguel Raurich, Juan Francisco Macías, Antonio García Márquez, Jordi Bardajil, Cristina Morató, Pilar Tejera, Ana Portnoy, Fotoformat, Iberdiapo, Embajada de Chile en España, Corporación de promoción turística de Chile.

Voces del material auditivo: José Antonio Benítez, España / Fabián Fattore, Argentina / Francisco Fernández, Chile / Laura Fernández, Cuba / Luis G. García, Perú / Paula Lehner, Argentina / Lola Oria, España / Kepa Paul Parra, España / Félix Ronda, Cuba / Rosa María Rosales, México / Amalia Sancho, España / Clara Segura, España / Nuria Villazán, España / Armand Villén, España.

Grabación realizada en los Estudios 103 de Barcelona.

Música: Juanjo Gutiérrez

Agradecimientos: Antonia Moya, Trini García, Alberto (Estudios 103), Consulados de Uruguay, Chile, Argentina y Cuba, Editorial Flammarion, Nuria París, Mireia Boadella, Lourdes Teixidó, Lupe Torrejón, Iván Torinos, Pol Wagner, Sara Gutiérrez, Sam Gutiérrez, Gerard Freixa, Maria Jordà, Martin Müller, Juanjo Gutiérrez, Laura Martín, Mireia Canyelles, Felipe Martín, Kepa Paul Parra.

1ª edición - 1998
2ª edición - 1999
3ª edición - 2000
4ª edición - Junio 2000
5ª edición - Octubre 2000

ISBN: 84-89344-26-4
Depósito legal: B-35487-98

Impreso en España por Grafos, Barcelona.
Este libro está impreso en papel ecológico.

Centro de Investigación y Publicaciones de Idiomas, S.L.

C/ Trafalgar, 10 entlo. 1ª - 08010 BARCELONA. Tel. 93 268 03 00 - Fax 93 310 33 40
e-mail: editdif@intercom.es
http://www.difusion.com

gente

Curso comunicativo basado en el enfoque por tareas

Ernesto Martín Peris
Neus Sans Baulenas

Libro del alumno

2

Los enfoques comunicativos han arraigado con fuerza en la enseñanza del español como lengua extranjera. Prueba de ello es que gran parte de los profesores programan actualmente sus clases a partir de una organización nocio-funcional de los contenidos. Por otra parte, en los últimos años se ha desarrollado una intensa actividad de investigación sobre el aprendizaje de lenguas extranjeras en el aula. Estos estudios arrojan una nueva luz sobre la relación entre actividades de uso de la lengua y procesos de aprendizaje y nos permiten contemplar el aula de E/LE bajo nuevas perspectivas y explotar su potencial comunicativo y discente.

GENTE asume con convicción la orientación comunicativa e integra todas las aportaciones que ésta ha generado, tanto desde el campo de las aplicaciones prácticas como desde el foro de los debates teóricos. El curso que aquí presentamos sigue la trayectoria iniciada por los cursos nocional-funcionales, pero rebasa sus limitaciones al haber incorporado en su concepción los procesos de comunicación. En efecto, los enfoques comunicativos antes mencionados han evolucionado desde el tratamiento de los contenidos necesarios para la comunicación –esto es: nociones, funciones y estructuras lingüísticas– al desarrollo de procesos de **comunicación en el aula,** que se han convertido en los ejes del aprendizaje. El modelo más difundido para la conjunción de contenidos y procesos es el de la **enseñanza mediante tareas.**

GENTE afronta el reto de plasmar en un manual el enfoque mediante tareas como medio para **generar en el aula activiadades significativas,** capaces de provocar la activación de procesos de comunicación y como medio, tam-

GENTE...

Ha sido concebido considerando que:
- el **alumno** llega al aula con un bagaje de experiencias, que constituyen la base sobre la que construye su aprendizaje de E/LE,
- el principal motor de este aprendizaje es la actividad que el alumno desarrolla dentro del **grupo**,
- el aula de E/LE es simultáneamente un espacio de **comunicación**, un espacio de **aprendizaje** y un espacio de **reflexión** sobre la lengua, su uso y su aprendizaje.

Potencia un aprendizaje
- cuya meta es la **capacidad de usar la lengua** para comunicarse,
- que es **gestionado conjuntamente** por los miembros del grupo,
- que requiere una gran **diversidad de actividades**,
- que corre paralelo al desarrollo de la **conciencia intercultural**.

Ofrece temas, actividades y situaciones
- interesantes y motivadores: los alumnos **querrán decir algo o saber algo**,
- comunicativos y participativos: los alumnos **tendrán que actuar**,
- adecuados en cada momento a su nivel de conocimientos de español: los alumnos **serán capaces de actuar**.

Con las **tareas** los procesos de **comunicación** que se desarrollan **en el aula** se convierten en el eje del **aprendizaje** bién, de integrar y contextualizar los actos de habla en unidades discursivas más extensas. Para ello, toma el aula y el grupo de aprendizaje como contexto en el que se llevarán a cabo las actividades de comunicación en forma de tareas.

Las tareas propuestas en GENTE adoptan la forma de productos que los alumnos elaboran en cooperación; estos productos son en su mayoría textos –orales o escritos– que reflejan decisiones, acuerdos o propuestas de los grupos de trabajo en que se ha distribuido la clase, y que tratan temas que se han considerado potencialmente motivadores e interesantes. El trabajo de los contenidos lingüísticos (léxicos, gramaticales, funcionales, fonéticos...) viene determinado por la selección de los recursos que los alumnos necesitarán tanto para la elaboración del mencionado producto, como para el desarrollo de las actividades previas (obtención y suministro de información, propuestas y discusión de soluciones a las tareas, etc.).

La estructura de GENTE: cuatro tipos de lecciones

El ***Libro del alumno*** comprende once secuencias de cuatro lecciones, lo que da un total de cuarenta y cuatro lecciones. Cada secuencia tiene como eje la realización de una tarea globalizadora, en torno a la cual se organizan lecciones de cuatro tipos diferentes, precedidas de una introducción a la secuencia.

ENTRAR EN MATERIA: introducción a la secuencia. Son páginas que incluyen los objetivos de la secuencia y contienen actividades de "precalentamiento".

EN CONTEXTO: primera lección. Contiene una variada tipología de textos, que presentan contextualizados los recursos lingüísticos que los alumnos necesitarán para realizar la tarea. Son lecciones en las que predomina la comprensión.

FORMAS Y RECURSOS: segunda lección. Se hace hincapié en la observación y práctica de aspectos formales (morfosintácticos, nocio-funcionales, etc.) que preparan a los alumnos para la realización de las tareas de la lección siguiente.

TAREAS: tercera lección. Es el núcleo de la secuencia. Potencia al máximo la ejercitación de la competencia comunicativa, movilizando y afianzando los recursos vistos hasta el momento e integrando las distintas destrezas.

MUNDOS EN CONTACTO: cuarta lección. Propone a los alumnos textos y actividades destinadas principalmente a propiciar en el aula el desarrollo de la conciencia intercultural.

Cada lección se presenta en una doble página, que abarca entre una y dos horas de trabajo en el aula.

El **Libro del alumno** va junto con una **Carpeta de audiciones**, que contiene dos casetes de 60 minutos de duración y un cuaderno con las transcripciones de los documentos sonoros y pautas generales para su uso. Gran parte de estos documentos se han obtenido a partir de un amplio archivo de grabaciones con textos espontáneos de hablantes, que reflejan diversas variantes dialectales de España y de Hispanoamérica.
El **Libro de trabajo y resumen gramatical** se ha concebido atendiendo a un objetivo prioritario: dotar a los alumnos de una herramienta realmente eficaz para potenciar un trabajo autónomo. Para ello, adopta una estructura tripartita, con once unidades correspondientes a las once secuencias, y organizadas del siguiente modo: A) Bloque de actividades y ejercicios, que incluye una amplia gama de propuestas de trabajo para el perfeccionamento y la fijación del vocabulario, la gramática, la pronunciación y la escritura así como una antología de textos. B) Agenda del alumno, con diversas acividades destinadas a desarrollar las estrategias de aprendizaje y a propiciar la autoevaluación. C) Resumen gramatical, que presenta de manera sistemática los contenidos lingüísticos trabajados en la secuencia. Este libro incorpora también una **Carpeta de audiciones** con nuevos documentos sonoros, que permiten al alumno practicar, en su casa o en un centro de autoaprendizaje, la comprensión auditiva, la pronunciación y la entonación.

Índice

CL = comprensión lectora
CA = comprensión auditiva
EO = expresión oral
EE = expresión escrita

	1 2 3 4 **gente que se conoce**	5 6 7 8 **gente y lenguas**
ENTRAR EN MATERIA	Especular sobre el carácter de unas personas y nuestras afinidades con ellas a partir de unas fotos. Leer un test de personalidad y responder al mismo.	Contestar un test de necesidades para cursos de español y expresar opiniones sobre materiales de enseñanza.
EN CONTEXTO	**Comunicación** Dar y pedir información sobre personas. **Sistema Formal** Datos biográficos: Indefinido **Vocabulario** Adjetivos y sustantivos relacionados con el carácter. Gustos, aficiones, manías. **Textos** Biografía (CL, EO). Entrevista (CL, EO). Test (CL, EO, EE).	**Comunicación** Extraer las ideas sobre el funcionamiento de las lenguas y el aprendizaje de una lengua extranjera. Relato de anécdotas: malentendidos culturales. Expresar hábitos y dificultades. **Vocabulario** La comunicación humana. El aprendizaje de lenguas. **Textos** Artículos divulgativos (CL). Monólogos y conversaciones (CA, EO).
FORMAS Y RECURSOS	**Comunicación** Expresar similitudes, diferencias y afinidades entre personas. Expresar sentimientos. Valorar personas. **Sistema formal** Régimen pronominal de verbos como GUSTAR: ME/TE/LE/NOS/OS/LES. Condicional: verbos regulares e irregulares más frecuentes. Interrogativas: A QUÉ HORA / QUÉ / CUÁL / QUÉ TIPO DE / DÓNDE / CON QUIÉN... Sustantivos femeninos: -DAD, -EZA, -URA, -ÍA. **Vocabulario** Reutilización y ampliación del aparecido en la lección anterior. **Textos** Descripciones de personas (CL, EO, CA).	**Comunicación** Relato de experiencias en el aprendizaje. Expresar sensaciones: dificultad, cansancio, percepción, miedo. Expresar opiniones y valoraciones. Consejos y recomendaciones. **Sistema formal** Imperfecto/Indefinido NOTO QUE / ME DOY CUENTA DE QUE... /... ME PARECE / -N + *adjetivo* + *Infinitivo*. LO QUE TIENES QUE HACER ES... /¿POR QUÉ NO...? / INTENTA/PROCURA + *Infinitivo*. Preguntas para el aula: ¿EN QUÉ PÁGINA...? / ¿QUÉ SIGNIFICA...? / ¿PUEDES REPETIR...? / ... **Vocabulario** Actividades de aprendizaje. La lengua como sistema formal. Actitudes. **Textos** Conversaciones (CA, EO).
TAREAS	**Diseñar una entrevista para conocer a un compañero.** **Comunicación** Pedir información sobre personalidad, gustos y experiencias en el pasado. Describir personas. **Sistema formal** ME GUSTARÍA SABER SI / DÓNDE / CON QUIÉN / POR QUÉ / QUÉ / CUÁNDO... MUY / TAN / DEMASIADO + *adjetivo*. **Vocabulario** Reutilización del aparecido en las lecciones anteriores. **Textos** Entrevista (CA, EE).	**Elaborar un eslogan y una lista de recomendaciones y consejos para llegar a ser un buen estudiante de español.** **Comunicación** Valorar y expresar opiniones. Extraer las ideas principales de una entrevista radiofónica. Consejos y recomendaciones. **Sistema formal** ME GUSTA LA IDEA DE (QUE)... ME PARECE + *adjetivo* + LA IDEA DE (QUE)... **Vocabulario** Reutilización y ampliación del aparecido en las lecciones anteriores. **Textos** Eslógans (CL, EE). Textos divulgativos (CL, EO). Entrevista (CA, EE). Lista de consejos (EE).
MUNDOS EN CONTACTO	Conocer a siete españoles famosos partir de textos periodísticos. Preparar preguntas para ellos. Expresar afinidades.	A partir de un artículo periodístico profundizar en el tema del aprendizaje del funcionamiento de las lenguas. Sensibilización sobre las connotaciones culturales del vocabulario.

9 10 11 12

gente que lo pasa bien

Informarse sobre actividades de ocio a partir de anuncios, y expresar preferencias sobre los mismos.
Describir los propios hábitos para el tiempo libre.

9

COMUNICACIÓN
Expresar preferencias.
Proponer, aceptar y rechazar invitaciones y propuestas.
Expresar deseos de hacer algo.
Concertar citas.

VOCABULARIO
Lugares y actividades de ocio.

TEXTOS
Anuncios publicitarios (CL).
Conversaciones (CA, EE).

10

COMUNICACIÓN
Describir y valorar espectáculos.
Recomendar un espectáculo.
Proponer y rechazar una invitación y excusarse.
Planificar un día festivo.

SISTEMA FORMAL
SER + *adjetivo* /...
¿QUÉ TE/LE/OS/LES APETECE + HACER? /...
Aceptar: VALE / BUENA IDEA. ME APETECE.
ES QUE + *expresión de tiempo* + NO PUEDO / ...

VOCABULARIO
Adjetivos para valorar.
Actividades de ocio.
Cine y televisión: géneros, características...

TEXTOS
Títulos de películas (CL, EO).
Programación televisiva (CL, EO).
Conversaciones (CA, EO).

11

Planificar un fin de semana en Madrid.

COMUNICACIÓN
Buscar información sobre oferta cultural y de ocio.
Expresar preferencias personales.
Concertar citas.

SISTEMA FORMAL
¿CÓMO / A QUÉ HORA / DÓNDE... QUEDAMOS?
¿TE/OS/LES VA BIEN...?
MEJOR/PREFERIRÍA...

VOCABULARIO
Espectáculos y oferta cultural.

TEXTOS
Guía de ocio (CL, EE).
Programa radiofónico (CA, EO).

12

Conocer las costumbres de los españoles en su tiempo libre a partir de un artículo periodístico y de imágenes, y contrastarlas con los hábitos del país de origen.

13 14 15 16

gente sana

A partir de unas recomendaciones para prevenir problemas cardiovasculares, decidir si se hace una vida sana.

13

COMUNICACIÓN
Informarse sobre algunos problemas de salud.
Dar consejos para combatir y evitar enfermedades.
Relato de experiencias relacionadas con la salud.

SISTEMA FORMAL
Perífrasis de obligación: (NO) DEBES / (NO) SE TIENE QUE / (NO) HAY QUE + *Infinitivo*.
Oraciones condicionales: SI + *Presente*.

VOCABULARIO
Enfermedades y accidentes.

TEXTOS
Artículo de divulgación (CL, EE).
Conversaciones (CA, EE).

14

COMUNICACIÓN
Preguntar y responder sobre el estado físico y de salud.
Explicar los síntomas de una enfermedad.
Advertencias y consejos.

SISTEMA FORMAL
TÚ impersonal: SI + 2ª persona singular /
CUANDO + 2ª persona singular.
(NO) + 2ª persona singular... / (NO) DEBES... /
(NO) HAY QUE... + *Infinitivo*.
Imperativo: verbos regulares y verbos irregulares.
Usos de PODER.

VOCABULARIO
Estados de salud y partes del cuerpo.
Enfermedades.

TEXTOS
Ficha médica (CL, EE, EO).
Conversaciones (CA, EE).

15

Elaborar una campaña de prevención de accidentes o de algún problema de salud.

COMUNICACIÓN
Seleccionar vocabulario útil para la realización de la campaña.
Elaborar una serie de consejos y recomendaciones.

SISTEMA FORMAL
Relacionar ideas: SIN EMBARGO, A PESAR DE QUE, YA QUE.
Adverbios en -MENTE: forma femenina del adjetivo + -MENTE.

VOCABULARIO
Reutilización del aparecido en lecciones anteriores.

TEXTOS
Listas de vocabulario sobre algunos problemas de salud y accidentes (CL, EE).

16

Conocer las propiedades terapéuticas del ajo a partir de un artículo periodístico. Proponer un remedio casero.
Contrastar los hábitos alimentarios de los españoles con los del país de origen.

17 18 19 20

gente y cosas

Rellenar un test y describir los hábitos personales en actividades y gestos cotidianos.

17

COMUNICACIÓN
Describir objetos y aparatos: utilidad y funcionamiento.
Expresar opiniones.
Relato de experiencias de personas zurdas.

VOCABULARIO
Objetos y aparatos de uso cotidiano.

TEXTOS
Textos periodísticos divulgativos (CL, EE, EO).
Conversaciones (CA, EO).

18

COMUNICACIÓN
Describir objetos: formas, material, partes y componentes, utilidad, funcionamiento, propiedades.

SISTEMA FORMAL
DE + *material*.
SIRVE PARA... / SE USA PARA... / LO USAN... / ...
SE ENCHUFA/ ABRE... / VA CON... / FUNCIONA CON... / ...
Presente de Subjuntivo: verbos regulares e irregulares más frecuentes: SER, IR, PODER...
Pronombres átonos de CD: LO/LA/LOS/LAS.
Usos de SE: impersonalidad e involuntariedad.

VOCABULARIO
Objetos de uso cotidiano.
Materiales.
Formas.

TEXTOS
Conversaciones (CA).

19

Inventar una serie de objetos para personas con determinadas características.

COMUNICACIÓN
Describir objetos y aparatos.

SISTEMA FORMAL
Relativas con preposición.
Usos de CON y PARA.

TEXTOS
Textos periodísticos (CL).
Programa de radio (CA, EO).

20

Lectura de unas greguerías de Ramón Gómez de la Serna e interacción oral a partir de poemas-objeto de Joan Brossa.

21 22 23 24 gente de novela

Explicar qué estaba haciendo cada uno en unas fechas determinadas.

21

Comunicación
Relato de acciones pasadas.

Textos
Lista de enunciados (CL, EO).
Artículo de prensa (CL, EE).
Conversaciones (CA).

22

Comunicación
Expresar circunstancias y relatar acciones pasadas.
Pedir información sobre acciones pasadas.

Sistema formal
Contraste Indefinido/Imperfecto/Pluscuamperfecto
Morfología del Pluscuamperfecto.
Expresiones temporales: EN AQUEL MOMENTO, UN RATO ANTES, AL CABO DE UN RATO...
SABER, RECORDAR, SUPONER.
Referirse a horas aproximadas: SOBRE LAS... / A LAS ... APROXIMADAMENTE /...
Preguntas sobre el pasado: ¿QUÉ / DÓNDE / A DÓNDE / CUÁNDO / A QUÉ HORA / ...?

Vocabulario
Reutilización del aparecido en las lecciones anteriores.

Textos
Relato novelesco (CL, EE).
Tickets y agenda (CL, EE).
Interrogatorio (CA, EE).

23

Intentar resolver las incógnitas que rodean un suceso misterioso.

Comunicación
Dar y pedir información sobre hechos y circunstancias pasadas.
Valorar hipótesis sobre sucesos pasados.

Sistema formal
A MÍ ME PARECE QUE... / NO PUEDE SER PORQUE... / AQUÍ DICE QUE... / FUE... QUIÉN... / FÍJATE EN QUE...

Textos
Conversaciones (CA, EE).
Diario novelesco (CL, EO).

24

Descripción de un personaje literario.
Resumir el argumento de una novela.

25 26 27 28 gente con ideas

Relatar problemas domésticos que ocurrieron en el pasado.
Leer un anuncio interactivo.

25

Comunicación
Obtener información sobre servicios.
Valorar la necesidad y utilidad de servicios.
Solicitar servicios.

Vocabulario
Establecimientos, productos y servicios.

Textos
Anuncio de prensa (CL).
Encuesta (CL, EO).
Anuncio radiofónico (CA, EO).
Conversaciones telefónicas (CA).

26

Comunicación
Opinar sobre diferentes empresas.
Escribir un anuncio.
Protestar y reclamar un servicio.

Sistema formal
Futuro de verbos regulares e irregulares: TENER, SALIR, VENIR, PONER, HABER, DECIR, HACER.
Usos del Futuro.
CUALQUIER(A), TODO EL MUNDO, TODO LO QUE.
TODO/-A/-OS/-AS.
Pronombres átonos OD+OI: SE + LO/LA/LOS/LAS.

Vocabulario
Empresas diversas.
Comidas y bebidas.

Textos
Anuncios (CL, EO).
Conversaciones telefónicas (CA, EO).

27

Crear una empresa y un anuncio televisivo para promocionarla.

Comunicación
Valorar diferentes empresas y servicios.
Elogiar.

Sistema formal
TODO EL MUNDO, LA GENTE, LA MAYORÍA (DE LAS PERSONAS), MUCHA GENTE, CASI NADIE, NADIE.
Construcciones para argumentar: LO QUE PASA ES QUE... / EL PROBLEMA ES QUE... / ...
Expresar impersonalidad: PUEDES... / UNO PUEDE... / SE PUEDE...

Textos
Anuncios (CL, EE, EO).

28

Obtener información y discutir sobre las relaciones económicas internacionales y el papel de las ONG.

29 30 31 32 gente que opina

A partir de una lista de temas, especular sobre su posible evolución en el siglo XXI.

29

Comunicación
Hablar del futuro y hacer hipótesis.
Expresar opiniones sobre un texto.
Describir hábitos.

Vocabulario
Objetos de uso cotidiano.

Textos
Texto divulgativo (CL, EO).
Programa de radio (CA, EO).
Artículo de opinión (CL, EO).

30

Comunicación
Expresar opiniones sobre acontecimientos futuros.
Mostrar acuerdo y desacuerdo y argumentar.
Clarificar las opiniones.

Sistema formal
YO CREO QUE... / ESTOY SEGURO/A DE QUE... / TAL VEZ... /... + *Indicativo.*
(YO) NO CREO QUE... / (NO) ES PROBABLE QUE.../ TAL VEZ... + *Subjuntivo.*
Conectores: ADEMÁS, INCLUSO, ENTONCES, DE TODAS MANERAS, EN CUALQUIER CASO...
SEGUIR + SIN + *Gerundio/Infinitivo.*
DEJAR DE + *Infinitivo.*
YA NO + *Presente.*
CUANDO + *Subjuntivo.*

Vocabulario
Reutilización del aparecido en las lecciones anteriores.

Textos
Catálogo de inventos (CL, EO).
Conversaciones (CA, EO, EE).

31

Preparar y realizar un debate y confeccionar un programa que refleje los acuerdos.

Comunicación
Recursos para el debate.
Negociación de los turnos de palabra.
Contradecir.

Vocabulario
Sociedad, tecnología, medio ambiente, etc.

32

A partir de un texto de Miguel Delibes, reflexionar sobre la evolución de la Humanidad y los desequilibrios medioambientales.
Leer y responder a una encuesta sobre ingeniería genética.

33 34 35 36

gente con carácter

Relacionar una serie de problemas con unos personajes que pueden padecerlos. Referir problemas y aconsejar.

33

Comunicación
Expresar opiniones.
Relatar un conflicto.
Expresión de sentimientos y estados de ánimo.

Vocabulario
Las relaciones amorosas.
Estado de ánimo y carácter.

Textos
Artículos de opinión (CL, EO).
Conversaciones (CA, EE, EO).

34

Comunicación
Expresar sentimientos y estados de ánimo.
Describir cambios de personalidad.
Imaginar contextos para diferentes enunciados.
Valorar comportamientos y dar consejos.

Sistema formal
ME/TE/LE DA VERGÜENZA/... + *Infinitivo*.
ME/TE/LE DA VERGÜENZA/... QUE + *Subjuntivo*.
ME/TE/LE PONGO NERVIOSO /... + SI/CUANDO + *Indicativo*.
POCO / UN POCO.
PONERSE, QUEDARSE, VOLVERSE, HACERSE.

Vocabulario
Ampliación del presentado en las lecciones anteriores.

Textos
Artículos (CL, EO).

35

Diagnosticar los problemas de un grupo de personas y ofrecer recomendaciones para resolver sus conflictos.

Comunicación
Sentimientos y estados de ánimo.
Dar consejos.
Relaciones entre personas.

Sistema formal
Usos de ESTAR
LLEVARSE, ENTENDERSE, PELEARSE...
LO MEJOR ES QUE + *Subjuntivo*.

Vocabulario
Reutilización y ampliación del aparecido en las lecciones anteriores.

Textos
Cartel de una película (CL).
Guión (CL).
Conversaciones (CA, EO, EE).

36

Lectura de poemas de Mario Benedetti.
Especular sobre la temática de una serie de películas a partir de sus carteles.

37 38 39 40

gente y mensajes

Identificar diferentes recados escritos con las llamadas que refieren.

37

Comunicación
Identificar la finalidad de diferentes mensajes escritos.
Reconocer el grado de formalidad/relación personal de diferentes textos.
Pedir objetos, acciones, ayuda y permiso.
Advertir y recordar.
Invitaciones y felicitaciones.

Vocabulario
Fórmulas en correspondencia (invitaciones, peticiones, felicitaciones...).

Textos
Mensajes escritos diversos (CL).
Conversaciones telefónicas (CA, EE).

38

Comunicación
Pedir cosas y permiso.
Escribir notas de petición, de agradecimiento, de disculpa...

Sistema formal
¿TIENES... / ME DEJAS...?
¿PUEDES / PODRÍAS / TE IMPORTARÍA + *Infinitivo*...?
¿PUEDO + *Infinitivo*?
Referir informaciones (+*Indicativo*).
Referir peticiones y propuestas (+*Subjuntivo*).
Referir preguntas.
Posesivos: EL MÍO / LA MÍA / LOS MÍOS / LAS MÍAS.

Vocabulario
Herramientas de uso cotidiano.
Verbos de lengua.

Textos
Mensajes telefónicos (CA, EE).

39

Escribir diferentes mensajes y una postal. Referir el contenido de una postal recibida.

Comunicación
Solicitar acciones y servicios.
Especular sobre la identidad del autor de un texto.
Referir el contenido de una carta.
Discutir la corrección de un texto.

Textos
Contestadores automáticos (CA, EE).
Carta (CL, EE, EO).

40

Sensibilizarse sobre las diferencias entre la comunicación oral y la escritura, y las diferencias culturales en su uso.
Explicar el contenido de una carta de Federico García Lorca.

41 42 43 44

gente que sabe

Recopilar y buscar información sobre tres países latinoamericanos y ponerla en común con la clase. Dar información con diferentes grados de seguridad.

41

Comunicación
Dar información con diferentes grados de seguridad.
Discutir datos.
Comprobar la validez de la información.

Vocabulario
Geografía, economía, costumbres e historia.

Textos
Test (CL, EE, EO).
Emisión radiofónica (CA, EO).

42

Comunicación
Pedir información.
Grados de seguridad.
Pedir confirmación.
Descubrir errores.

Sistema formal
¿SABE/S SI... / CUÁL... /...?
Recordar: ¿RECUERDAS... / TE ACUERDAS DE CUÁL...?
YO DIRÍA QUE... / DEBE DE... /...
Acuerdo y desacuerdo.
SÍ, SÍ, ES VERDAD / (AH, ¿SÍ?) YO CREÍA QUE / NO LO SABÍA /...

Vocabulario
Descripción de un país: geografía, sociedad, economía, ...

Textos
Cuestionarios (CL, EE, EO).
Conversaciones (CA).

43

Elaborar y realizar un concurso sobre información cultural.

Comunicación
Dar y pedir información con diferentes grados de seguridad.
Expresión de desconocimiento.
Discutir información.

Sistema formal
Interrogativas indirectas: PODEMOS PREGUNTARLES SI/QUIÉN/CÓMO/DÓNDE...

Vocabulario
Reutilización del aparecido en las lecciones anteriores.

Textos
Cuestionario (CL, EO).

44

Tras extraer información sobre tres islas diferentes, escoger una de ellas y justificar la elección.

1 2 3 4

Empezamos un curso y queremos conocernos. En grupos, vamos a elaborar un test para saber cómo son nuestros compañeros de clase. Practicaremos:

- ✔ la expresión de los gustos y las preferencias
- ✔ la descripción de caracteres y de hábitos

Martín en casa de unos amigos

Mireia e Iván en una discoteca

Aurora y Laura hace unos años

María y Gerardo el día de su boda

Pol, Sara y Sam de excursión

Daniel, Juanjo, Alba y Trini en casa de Daniel

Laura en Arraioles

gente que se conoce

Jordi y Emma

1 Gente diversa

Mira las personas de las fotos. ¿Con quién harías estas cosas? ¿Por qué?

	NOMBRE	PARECE UNA PERSONA
Iría a cenar con...		
Iría de compras con...		
No me gustaría trabajar con...		
Compartiría casa con...		
Pasaría unas vacaciones con...		
Me gustaría conocer a...		

- *Yo iría a cenar con Martín porque parece una persona muy simpática.*
- *Pues yo iría con Juanjo.*

interesante · amable · agradable · simpático/a · con sentido del humor · con buen gusto · divertido/a · antipático/a · autoritario/a · inteligente

2 Un test

Los autores de este libro han contestado un test. Házselo tú a un compañero y, entre todos, a vuestro profesor.

TEMAS	ERNESTO	NEUS	UN COMPAÑERO	MI PROFESOR
un lugar para vivir	El Mediterráneo	El Mediterráneo		
un libro	*Malena es nombre de tango*	*Rojo y negro*		
una película	*Dersu Uzala*	*Manhattan*		
un plato	el bacalao al pil-pil	el pollo con gambas		
una ciudad	San Sebastián	Barcelona		
una manía	no desordenar las hojas del periódico	llevar siempre gafas de sol		
una cualidad que admira	el saber estar	la generosidad		
un defecto que odia	la avaricia	la vanidad		
un problema que le preocupa	la incomunicación entre culturas	el crecimiento demográfico		
una estación del año	la primavera	el otoño		
no le gusta	fregar los platos	limpiar cristales		
una prenda de vestir	jersey de cuello redondo	pantalones vaqueros		
un color que no le gusta	el marrón	el rosa		
un actor/una actriz	Angela Molina	Dustin Hoffman		
un pintor	Gustav Klimt	Picasso		
un género musical que no soporta	la zarzuela	la música tecno		

Trotsky y Frida

1 Antonia Moya

Antonia Moya nació en Granada en el año 1958. Estudió Psicología en la Universidad de esta misma ciudad. A los 22 años, terminada la carrera, se trasladó a Nueva York con la intención de matricularse en un programa del Hunter College para especializarse en terapias a través del baile; pero el reencuentro con el flamenco, paradójicamente tan lejos de Andalucía, le hizo cambiar de planes. De vuelta a España, se dedicó íntegramente al estudio del flamenco. Bailaora profesional desde 1984, ha actuado en los más prestigiosos tablaos de Madrid, y ha participado en varios espectáculos de danza contemporánea. Actualmente imparte cursos de flamenco en España, Suiza, Italia y Alemania y combina la enseñanza con sus giras artísticas. Está casada con un músico suizo y tiene un hijo y una hija.

Antonia MOYA

PREGUNTAS MUY PERSONALES

La clave de la felicidad es... tomarse la vida con calma.
¿Qué rasgo de su personalidad le gustaría cambiar? La inseguridad.
¿Y de su físico? Ninguno.
Su mayor defecto es... la impaciencia.
Su peor vicio... comer dulces.
Está negada para... planchar.
Se considera enemiga de... la avaricia.
Le preocupa... la ecología.
Su asignatura pendiente es... la danza contemporánea.
Le gustaría conocer a... Mario Benedetti.
A una isla desierta se llevaría... una tortilla de patatas y un buen vino tinto.
¿Qué cualidad aprecia más en un hombre? La generosidad.
Le da vergüenza... hablar en público.
¿Cree en la pareja? Sí.
Antes de dormir le gusta... leer un poco.
Si no fuera bailaora sería... cantaora.
Le pone nerviosa... el ruido de las motos.
Una manía... ordenar zapatos.
Le da miedo... caminar sola por una calle oscura en una gran ciudad.
Su vida cambió al... volver a España para estudiar flamenco en Madrid.

LE GUSTAN / ODIA...

prenda de vestir:	los pantalones	la minifalda
actor:	Al Pacino	Antonio Banderas
película:	*El padrino*	*Rambo*
deporte:	la natación	ninguno
en su tiempo libre:	ir al zoo	hacer pasatiempos
comida:	los erizos de mar	las mollejas
género musical:	el flamenco	la canción española

PREFIERE...

la izquierda o la derecha
de día o de noche
de copas o en casa
París o Nueva York
el agua o el whisky
los Beatles o los Rolling Stones

la ciudad o el campo
el cine o el teatro
un ordenador o un bolígrafo
el Papa o el Dalai Lama
Woody Allen o Spielberg
el jamón o el caviar

el Test

Le emociona más...
a. ✓ el flamenco
b. el blues
c. Mozart

¿Qué soporta peor?
a. ✓ la mentira
b. la infidelidad
c. la superficialidad

Para un sábado por la noche prefiere...
a. ✓ una buena película
b. un buen libro
c. bailar

Le dedicaría unas bulerías a...
a. Bill Clinton
b. Bill Gates
c. ✓ Prince

¿Qué le indigna más?
a. las pruebas nucleares
b. el culto al dinero
c. ✓ el racismo

Cambia de canal en la tele cuando tropieza con...
a. una película violenta
b. ✓ un "reality show"
c. un partido de fútbol

En la vida ha encontrado mucha...
a. ✓ amistad
b. envidia
c. hipocresía

Actividades

A Lee la entrevista a Antonia Moya. ¿Tienes algo en común con ella? Señálalo. Luego explícaselo a tus compañeros.

● *Yo también odio los "reality shows".*

B Después de leer su biografía y las respuestas que da en la entrevista, ¿cómo crees que es Antonia? Elige entre estos adjetivos los que en tu opinión mejor la caracterizan. Después, comenta tus observaciones con un compañero.

optimista — pesimista
sin complicaciones
complicada
tranquila — nerviosa
segura — insegura
tradicional — moderna
sociable — tímida
simpática — antipática
conservadora — progresista
valiente — miedosa

● *Yo creo que es una persona sociable. Dice que en la vida ha encontrado mucha amistad.*
○ *Yo también creo que es sociable.*

C Hazle ahora la misma encuesta a un compañero.

1 Gente que se lleva bien

Todas estas personas han escrito a una agencia de relaciones para encontrar amigos. ¿Con quién te llevarías bien? ¿Con quién no? ¿Por qué?

ANA ÁLVAREZ BADAJOZ
Gustos: No soporta a los hombres que roncan ni a la gente cobarde.
Le encantan el riesgo y la aventura, y conocer gente.
Le gusta la música disco y el cine de acción.
Es vegetariana.
Costumbres: Estudia por las noches, sale mucho y, en vacaciones, hace viajes largos.
Aficiones: "Puenting", esquí de fondo y parapente.
Manías: Tiene que hablar con alguien por teléfono antes de acostarse.
Carácter: Es un poco despistada y muy generosa. Tiene mucho sentido del humor.

SUSANA MARTOS DÍAZ
Gustos: Odia la soledad y las discusiones.
Le encanta la gente comunicativa, bailar y dormir la siesta.
Cocina muy bien.
No soporta limpiar la casa.
Costumbres: No está casi nunca en casa. Se aburre en casa.
Aficiones: Colecciona libros de cocina y juega al póquer.
Tiene tres hamsters.
Manías: No puede salir a la calle sin maquillarse y ponerse mucho perfume.
Carácter: Es muy desordenada y siempre está de buen humor.

FELIPE HUERTA SALAS
Gustos: No soporta a la gente que habla mucho ni el desorden.
Le encantan la soledad, el silencio y la tranquilidad.
Le gusta la música barroca y leer filosofía.
Come muy poco.
Costumbres: Lleva una vida muy ordenada. Se levanta muy pronto y hace cada día lo mismo, a la misma hora.
Aficiones: Colecciona sellos y arañas. También tiene en casa un terrario con dos serpientes.
Manías: Duerme siempre con los calcetines puestos.
Carácter: Es muy serio y un poco tímido.

ME LLEVARÍA BIEN CON ____________________ PORQUE ____________________
____

ME LLEVARÍA MAL CON ____________________ PORQUE ____________________
____

● *Yo me llevaría mal con Felipe porque a mí me gusta mucho hablar y soy un poco desordenada.*

EXPRESAR SENTIMIENTOS

No soporto a la gente hipócrita.
La gente falsa me cae muy mal.
La**s** persona**s** falsa**s** me cae**n** muy mal.

A mí la publicidad me divierte.
A mí ir al dentista me da miedo.

A mí lo**s** anuncio**s** me encanta**n**.
A mí la**s** visita**s** al dentista no me gusta**n** nada.

Otros verbos que funcionan como **gustar**:
me gusta/**n** (mucho)
me cae/**n** (muy) bien/mal
me da/**n** (mucha) risa
me da/**n** (un poco de/mucho) miedo
me interesa/**n** (mucho)
no me interesa/**n** (nada)
me pone/**n** (muy/un poco) nervioso/a
me preocupa/**n** (mucho/un poco)
me molesta/**n** (mucho/un poco)
me emociona/**n**
me indigna/**n**

Los verbos anteriores funcionan igual que **gustar** y llevan los mismos pronombres:

a mí	**me**
a ti	**te**
a él/ella/usted	**le**
a nosotros/as	**nos**
a vosotros/as	**os**
a ellos/ellas/ustedes	**les**

Yo	adoro	la publicidad.
	odio	ir al dentista.
	no soporto	los anuncios.
	no aguanto	la política.

CONDICIONAL

Se forma con el Infinitivo más las terminaciones **ía/ías/ía/íamos/íais/ían.**

	LLEVARSE
(yo)	me llevar**ía**
(tú)	te llevar**ías**
(él, ella, usted)	se llevar**ía**
(nosotros/as)	nos llevar**íamos**
(vosotros/as)	os llevar**íais**
(ellos, ellas, ustedes)	se llevar**ían**

Algunos verbos de uso muy frecuente tienen el Condicional irregular.

PODER	**podr**	
SABER	**sabr**	**ía/ ías/ ía/**
TENER	**tendr**	+ **íamos/ íais/**
QUERER	**querr**	**ían**
HACER	**har**	

Sirve para hablar de acciones y situaciones hipotéticas.

Yo, con Felipe, no **me llevaría** *nada bien.*
(= no tengo que vivir con él)

Tiene otros usos: dar consejos, suavizar peticiones, expresar deseos, etc.

Ahora mismo **me iría** *de vacaciones.*
(= me gustaría pero no puedo irme)

INTERROGATIVAS

¿A qué hora *te acuestas?*

¿Qué *deporte praticas?*
periódico lees?
haces en vacaciones?

¿Cuál es *tu deporte preferido?*
tu color favorito?

¿Qué tipo de *literatura te gusta?*
música te gusta?
cine te gusta?

¿Dónde *pasas las vacaciones?*

¿Con quién *vives?*

SUSTANTIVOS FEMENINOS: -DAD, -EZA, -URA, -ÍA

Los sustantivos acabados en **-dad, -eza, -ura, -ía** normalmente derivan de un adjetivo y son femeninos.

bueno	la bon**dad**
honesto	la honesti**dad**
bello	la bell**eza**
blando	la bland**ura**
tierno	la tern**ura**
simpático	la simpat**ía**
pedante	la pedanter**ía**

Ahora rellena tú la ficha con la descripción de una persona que conoces, o inventa un personaje.

Léela a la clase. Cada uno debe decidir con quién se llevaría bien y con quién no.

NOMBRE: ____________

Gustos: ____________

Costumbres: ____________

Aficiones: ____________

Manías: ____________

Carácter: ____________

2 Cosas en común

Haz preguntas a tus compañeros para encontrar personas con las que compartes estas cosas.

	NOMBRE
Se acuesta aproximadamente a la misma hora que tú	
Tiene el mismo hobby que tú	
Le gusta la misma música que a ti	
Hace lo mismo que tú en vacaciones	
Su color favorito es el mismo que el tuyo	
Lee el mismo periódico que tú	

● *¿A ti te gusta la salsa?*
○ *No, no mucho.*

3 Cualidades y defectos

¿Cuáles de estas cualidades aprecias más? ¿Y qué defectos te parecen más graves? Elige dos cualidades y dos defectos para cada caso y coméntalo.

	EN UNA RELACIÓN DE PAREJA	EN UNA RELACIÓN PROFESIONAL	PARA COMPARTIR PISO
LO PEOR			
LO MÁS IMPORTANTE			

la simpatía · la sensibilidad · la inteligencia · el egoísmo · la ternura · la belleza · la insolidaridad · la fidelidad · la sinceridad · la infidelidad · la generosidad · la hipocresía · la modestia · la estupidez · la superficialidad · la coherencia · la honestidad · la pedantería · la seriedad · la tenacidad · la bondad · la avaricia

● *Para mí lo peor en una relación de pareja es el egoísmo.*

4 Gente con cualidades

Sitúa en este peculiar termómetro las opiniones que oirás sobre una serie de personas. Cuanto más negativa la opinión, más a la izquierda.

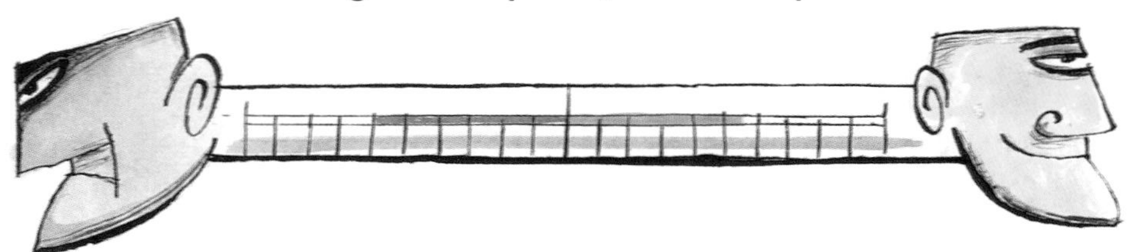

1 Entrevistando a la cantante Trini García

Escucha la primera parte de la entrevista y di sobre qué temas formula preguntas el periodista. Márcalo en el cuadro.

- ❑ EL AMOR
- ❑ LA PROFESIÓN
- ❑ LAS EXPERIENCIAS PASADAS
- ❑ LOS HOBBIES
- ❑ LA INFANCIA
- ❑ LAS OPINIONES
- ❑ LOS PROYECTOS
- ❑ LOS GUSTOS
- ❑ EL CARÁCTER
- ❑ LAS IDEAS
- ❑ LAS COSTUMBRES

2 Problemas técnicos

En esta segunda parte de la entrevista se han borrado las preguntas. Trata de escribirlas tú y, después, compara tus preguntas con las de un compañero.

¿Qué es lo más importante en tu profesión?

3 Preparar una entrevista

En grupos vamos a elaborar un cuestionario de 20 preguntas para conocer a fondo la personalidad de un compañero.

A LOS TEMAS

Primero hay que ponerse de acuerdo en qué temas son los más importantes para conocer bien a alguien. Si queréis, buscad ideas en ésta y en las lecciones anteriores.

____

____

____

____

B LAS PREGUNTAS

Ya sabéis sobre qué temas os interesa preguntar. Ahora, individualmente, intentad formular preguntas concretas. Tened en cuenta que hay muchos tipos de preguntas. Por ejemplo, podemos preguntar...

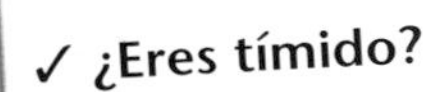

✓ **¿Eres tímido?**

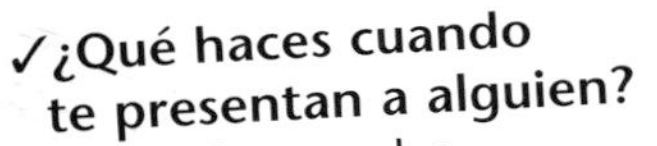

✓ **¿Qué haces cuando te presentan a alguien?**
a) hablas mucho
b) hablas lo normal
c) no hablas casi nada

✓ **¿Qué animal te gustaría ser?**
a) un caballo
b) un león
c) un conejo

C EL CUESTIONARIO

Elegid en grupos las 20 mejores preguntas y haced el cuestionario que vais a usar para la entrevista.

OS SERÁ ÚTIL...

A mí me parece muy importante...
A mí me gustaría saber...
si...
dónde...
con quién...
por qué...
qué...
cuándo...

Ése es un tema muy importante/interesante.

Ése no es un tema tan importante.

Ése es un tema demasiado personal.

4 La entrevista

Cada uno de vosotros hace la entrevista a un compañero de otro grupo. El entrevistador tomará notas.

5 Os presento a...

Ahora tienes que presentar a tu entrevistado a los demás compañeros de la clase.

- Os voy a presentar a Robert. Robert es francés y tiene 23 años.
  Lo que más le gusta...
  Ha vivido ... años en ... y actualmente...
  El año que viene...
  Respecto al carácter, Robert es...

ESPAÑOLES DE HOY

Grabó su primer disco a los 17 años y llegó a vender siete millones de copias de su mayor éxito: "El himno de la alegría". Tiene una manía: entrar en el escenario, cuando va a actuar, con el pie derecho. Se considera una persona transparente y le pone nervioso la gente que se cree en posesión de la verdad.
Le preocupa el deterioro ambiental y se declara enemigo de la insolidaridad.

La noche anterior a un partido coloca en la mesilla un talismán secreto. Es un regalo que le hicieron hace tiempo. Apenas ve la televisión, va mucho al teatro y al cine, y lee mucho. Ha salido por la tele anunciando una marca de leche. Le gusta mucho dormir.

Le angustia ver el mundo en el que van a vivir sus hijas y se siente comprometida con la gente que sufre injusticias. Pero la vida le ha enseñado que sólo hay dos o tres cosas realmente importantes y que a las demás no hay que darles tantas vueltas. Se considera tímida, perfeccionista y demasiado sensible. No soporta a la gente falsa ni a los envidiosos. Tiene una manía: antes de salir al escenario se tiene que quitar el reloj.
Le gustan los vaqueros, el jazz y el color verde.

Es canario y defiende la autodeterminación de Canarias. Admira a Caetano Veloso, a Silvio Rodríguez y a Dylan. Le gustan los ordenadores, navegar por Internet y escribir canciones. Se considera un poco tímido y algo egoísta.

Ha hecho televisión, teatro y cine. Ha trabajado con los directores más importantes del cine español. En *Ay, Carmela*, *Mujeres al borde de un ataque de nervios* y otras muchas películas ha creado personajes inolvidables para los amantes del cine español. La cualidad que más aprecia en un hombre es el sentido del humor inteligente. Piensa que para triunfar hay que tener talento e insistir: ser cabezota.
Necesita dos horas de soledad al día.

La inmensa mayoría de los españoles conoce su voz y la del señor Casamajor, un misterioso y divertido personaje que nunca ha visto nadie, pero que siempre le acompaña en sus programas de radio. Tiene una manía: hacer las cosas bien. Es hiperactivo y tiene siempre la agenda muy apretada.

Ha sido y es una de las más populares actrices de comedia. De vez en cuando se retira a un monasterio de la India para meditar. Se considera perfeccionista, cariñosa, buena persona y fiel. Le preocupan mucho las guerras y no ve las noticias de la tele porque la deprimen.

(Información obtenida de la sección "Radiografía" de El País)

1. Verónica FORQUÉ, actriz

3. Pedro GUERR

1 ¿Quién es quién? A ver si adivinas a quién corresponden las descripciones. Relaciona cada foto con un texto.

2 De estas personas, ¿cuál te parece más interesante? Escribe algunas preguntas que le harías en una entrevista.

3 ¿Coincides tú en algo con estas personas? ¿En qué?

5. Xavier SARDÁ, periodista

2. Carmen LINARES, cantaora

tor

6. Pep GUARDIOLA, futbolista

4. Carmen MAURA, actriz

7. Miguel RÍOS, rockero

gente y lenguas

5 6 7 8

Vamos a elaborar una lista de recomendaciones para llegar a ser un "buen estudiante de español". Practicaremos maneras de:

- ✔ explicar sensaciones y sentimientos
- ✔ dar consejos y sugerir soluciones
- ✔ valorar actividades para aprender idiomas

1 Un test de entrada para los cursos de español

Responde a este test y luego comenta tus respuestas con tu compañero.

IDIOMAS GENTILINGUA

Departamento de español para extranjeros

TEST DE ENTRADA

1. ¿POR QUÉ QUIERE APRENDER ESPAÑOL?

(Marque una o varias respuestas)

- ❑ Me interesan la lengua y la cultura de los países de habla hispana.
- ❑ Viajo frecuentemente a un país de habla española. ¿A cuál? ....
- ❑ Me interesa la literatura hispanoamericana.
- ❑ Necesito el español en mi trabajo o en mis estudios.
- ❑ Otros motivos: ....
....

2. ¿PARA QUÉ VA A USAR EL ESPAÑOL?

(Marque una o varias respuestas)

- ❑ Mantener una conversación.
- ❑ Entender los textos habituales en la vida cotidiana (anuncios, rótulos en la calle, listas de precios, menús de los restaurantes...).
- ❑ Leer periódicos y revistas.
- ❑ Leer documentos y textos profesionales.
- ❑ Leer novelas.
- ❑ Ver películas y programas de TV.
- ❑ Oír programas de radio.
- ❑ Entrar en las páginas en español de Internet.
- ❑ Escribir cartas personales.
- ❑ Escribir cartas y otros documentos en mi trabajo.
- ❑ Otros objetivos: ....

3. SU NIVEL ACTUAL DE ESPAÑOL: AUTOEVALUACIÓN.

(Marque (+) sus puntos más fuertes, (-) sus puntos más débiles y (=) sus capacidades medias)

- ❑ Hablar.
- ❑ Entender lo que oigo.
- ❑ Escribir.
- ❑ Gramática.
- ❑ Vocabulario.
- ❑ Pronunciación.

4. ¿CUÁLES DE LOS ASPECTOS ANTERIORES SON MÁS IMPORTANTES?

2 ¿Qué le pides a un libro de idiomas?

Del último libro que has usado para aprender español, señala las dos cosas que te han gustado más (+), y las dos que te han gustado menos (-).

- ❑ los textos grabados en cintas audio
- ❑ las actividades para hacer en parejas
- ❑ las imágenes de los países de habla española
- ❑ los documentos reales
- ❑ los ejercicios de vocabulario
- ❑ los esquemas gramaticales
- ❑ los ejercicios de lectura
- ❑ las situaciones y los personajes de las lecciones
- ❑ otros: ....

Ahora, coméntalo con tus compañeros.

- A mí lo que más me gustó fueron las actividades en pequeños grupos.
- ¿Y lo que menos te gustó?
- Las cintas.
- Pues a mí, lo que más me gustó fueron los esquemas gramaticales.

1 La riqueza de las lenguas

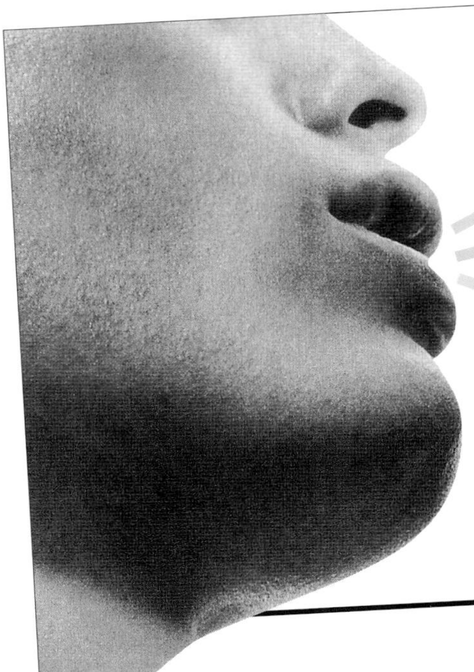

La riqueza de las LENGUAS

¿QUÉ ES UNA LENGUA? ¿UNA GRAMÁTICA Y UN VOCABULARIO? ¿UNOS SONIDOS Y UN ALFABETO? INDUDABLEMENTE ES ALGO MUCHO MÁS COMPLEJO.

Las reglas de la conversación

Para participar en una conversación no sólo hay que saber hablar: también hay que saber callar y saber escuchar, saber tomar la palabra y cederla a otro interlocutor.

Si observamos una conversación sin escuchar las palabras, descubriremos el valor de las miradas, los gestos, las posturas; veremos que los interlocutores se mueven en una especie de ballet. Son los elementos paralingüísticos, que transmiten hasta un 60 ó 65 % del significado. Las palabras transmiten sólo el 30 o el 35 % restante.

También la posición de los interlocutores interviene en la comunicación humana. Generalmente evitamos situarnos frente a frente; pero, además, en distintas situaciones preferimos distintas posiciones: en una cafetería, por ejemplo, con amigos o conocidos, nos sentamos al lado de nuestro interlocutor, mientras que en una biblioteca solemos adoptar una distribución en diagonal.

Lengua y cultura

El lenguaje de los gestos, de las posturas y del espacio, lo aprendemos de pequeños imitando a los mayores.

Cada sociedad tiene regulada tácitamente la distancia para hablar con los demás; a quién se le puede mirar directamente a los ojos y a quién no, el tiempo que puede durar la mirada, la postura que conviene adoptar (de pie, sentado, las manos en los bolsillos...), si se puede o no se puede tocar al interlocutor, etc.

Cuando aprendemos una lengua extranjera hemos de aprender también algunas de esas reglas, especialmente si son distintas de las de nuestra cultura. ■

MOVIMIENTOS DE LA CARA

La mayor capacidad expresiva del ser humano está en la cara: sus músculos pueden realizar más de 20.000 (veinte mil) movimientos diferentes. Hay movimientos de cejas que duran sólo millonésimas de segundo.

EL VALOR DEL SILENCIO

En cada cultura el valor del silencio y de su duración puede ser distinto. En las modernas culturas occidentales, por ejemplo, "quien calla, otorga", y no contestar a quien nos hace una pregunta es una falta grave de educación. En otras culturas no es así: el silencio puede ser una forma de manifestar indirectamente desaprobación. Entre los indios de la reserva de Warm Springs de Oregón no existe la obligación de contestar inmediatamente; uno puede responder o puede callarse, también puede tardar cinco o diez minutos en dar la respuesta.

2 Anécdotas en la comunicación intercultural

Cuatro personas nos explican sus experiencias.

3 ¿Quién aprende mejor español?

Los alumnos que aprenden bien una lengua no son necesariamente los más inteligentes, sino los que hacen determinadas cosas. Los investigadores en aprendizaje de lenguas los han observado y han elaborado listas de lo que les han visto hacer. Se refieren a estas personas como "los buenos estudiantes de lenguas".

El buen estudiante de lenguas es alguien que...

- está dispuesto a comunicarse y a aprender en situaciones de comunicación,

- se fija en el contexto para entender el significado de lo que oye o lee,

- intenta descubrir por sí mismo reglas de la lengua que estudia, no le importa cometer errores cuando practica y sabe que sin cometer errores no se aprende,

- conoce y aplica diversas técnicas para aprender: para memorizar el vocabulario, para fijar estructuras gramaticales, para perfeccionar la pronunciación y la entonación, para corregir sus errores,

- observa que la lengua se usa de diversas maneras, cada una de ellas apropiada a las diversas circunstancias y situaciones: en textos escritos, oralmente, entre amigos, entre desconocidos, etc.

Actividades

A Lee el texto de 1 y subraya las partes en las que se desarrollan las siguientes afirmaciones:

1. En una conversación la comunicación no verbal es tan importante como la verbal o más.
2. El dominio de la gramática, del vocabulario y de la pronunciación no son suficientes para comunicarse en una lengua extranjera.
3. La comunicación no verbal se puede aprender, del mismo modo que se puede aprender la comunicación verbal.
4. Las reglas propias de la conversación no son iguales en todas las culturas.
5. Con personas distintas, decimos las mismas cosas de maneras diferentes.

B Escucha las anécdotas de 2 y completa el siguiente cuadro:

La 1ª persona tuvo problemas con...
La 2ª persona tuvo problemas con...
La 3ª persona tuvo problemas con...
La 4ª persona tuvo problemas con...

el vocabulario
la distancia física
la gramática
las miradas
el tono de voz
la postura
las fórmulas de cortesía

¿Tienes experiencias semejantes, o conoces a alguien con experiencias semejantes?

C Lee el texto de 3 y comenta con tus compañeros qué cosas de la lista hacéis vosotros.

1 Aprender cosas, aprender a hacer cosas

En la vida, una persona aprende muchas cosas. ¿Cuáles has aprendido tú? ¿Recuerdas cómo?

- ● Yo aprendí a nadar en un río, en mi pueblo, cuando era pequeño. Entonces no había piscina.
- ○ Yo aprendí latín en el colegio. Teníamos que aprendernos de memoria las listas de los verbos.
- ■ Yo aprendí a esquiar de mayor. Pasé unas Navidades en la nieve con unos amigos, y me apunté a un cursillo de esquí.

2 ¿Cómo has aprendido lenguas?

¿Cómo has aprendido hasta ahora? Marca las cosas que has hecho con más frecuencia en tu aprendizaje del español (o de otras lenguas extranjeras).

- Practicar la conversación en clase. Participar siempre activamente.
- Hacer muchos ejercicios gramaticales.
- Además del libro de clase, usar otros libros de ejercicios y actividades.
- Tener una gramática para extranjeros y consultarla frecuentemente.
- Estudiar y practicar mucho fuera de clase.
- Preguntar al profesor todo lo que no entiendo.
- Leer mucho. Aprovechar todas las ocasiones para leer fuera de clase: carteles, anuncios, titulares de periódicos...
- Escuchar español siempre que puedo: canciones, televisión...
- Ir a menudo al laboratorio de idiomas.
- Aprenderme de memoria frases enteras, o canciones.

- ● Yo he aprendido mucho leyendo. Leer me parece muy útil.
- ○ Yo, sobre todo, hablando y haciendo ejercicios de gramática.
- ■ Yo, trabajando en el laboratorio de idiomas; y pasando las vacaciones en España: para mí eso es lo más útil.

SENSACIONES, SENTIMIENTOS Y DIFICULTADES

Noto que...
Veo que...
Me doy cuenta de que...
...los demás no me entienden.

Me resulta fácil/difícil/aburrido...
Me cuesta...
Me canso de...
...hacer ejercicios de gramática.
...leer en español.
...hacer ejercicios de gramática.

Me da miedo cometer errores.

VALORAR ACTIVIDADES

Para mí es pesado/útil/aburrido...
Me parece pesado/útil/aburrido...
...estudiar gramática.
...leer.
...trabajar en grupo.

Me parece...
...aburrid**a la** literatura.
...divertid**o el** trabajo en grupo.

Me parecen...
...muy buen**os estos** ejercicios.
...pesad**as las** audiciones.

CONSEJOS Y SOLUCIONES

Lo que tienes que hacer es hablar.
¿Por qué no intentas hacer frases más cortas?
Intenta hacer frases más cortas.
Procura hacer frases más cortas.

EXPRESIONES ÚTILES EN EL AULA

¿En qué página está eso?

¿En qué ejercicio?

¿En qué párrafo/columna/línea?

¿Qué significa esta palabra?
esta frase?
"grabar"?

¿Es correcto decir: "Soy soltero"?

¿Cómo has dicho: Valencia o Palencia?

¿Vigo se escribe con uve de Venecia?

Por favor,
¿puedes repetir eso que has dicho? No lo he entendido bien.

¿puedes hablar más despacio?

¿puedes escribirlo en la pizarra?

¿puedes traducir esto?

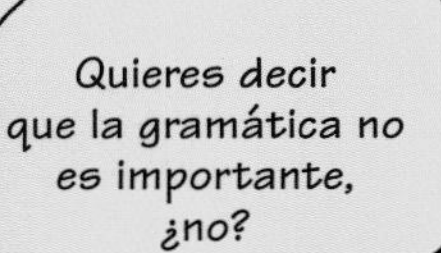

3 Me resulta muy útil

Clasifica esta lista de actividades de clase según tu opinión. Luego coméntalo con tus compañeros.

Me parece divertido y útil para aprender	*Me gusta mucho pero me resulta muy difícil*	*Puede ser útil pero es muy aburrido*	*No me parece útil*
++	+	o	–

- [ ] Hablar en español de cosas interesantes
- [ ] Escuchar conversaciones grabadas
- [ ] Repetir en coro en voz alta
- [ ] Observar ejemplos de reglas
- [ ] Escribir redacciones en casa o en clase
- [ ] Jugar en español
- [ ] Leer textos interesantes de la prensa
- [ ] Aprender listas de palabras
- [ ] Traducir textos
- [ ] Tratar de descubrir reglas de la lengua
- [ ] Leer novelas fáciles
- [ ] Ver las noticias de la tele
- [ ] Escenificar situaciones
- [ ] Hablar y grabarnos en vídeo
- [ ] Cantar en español
- [ ] Hacer dictados
- [ ] Leer textos en voz alta delante de la clase

¿Quieres añadir alguna actividad?

● A mí, traducir textos no me resulta útil.
○ A mí me gusta mucho, pero me resulta muy difícil.
■ Yo creo que puede ser útil pero es muy aburrido.

4 Problemas y consejos

Estas personas estudian idiomas y tienen problemas. Escucha y marca en el cuadro si a ti te pasa lo mismo.

	1	2	3	4	5	6	7	8
Me pasa lo mismo								

Ahora vuelve a escuchar las intervenciones y trata de formular un consejo para cada una. Aquí tienes una lista de ideas que pueden inspirarte.

Tener confianza en sí mismo.
Estar interesado en lo que se aprende.
Ser constante en el estudio y la práctica.
Estar atento a lo que se hace.
Saber superar las dificultades: no abandonar a la primera.
No desanimarse con los errores.
Tener curiosidad: hacer preguntas y hacerse preguntas.
Correr riesgos: aventurarse y experimentar.

● Lo que tiene que hacer es pasar unas vacaciones en Inglaterra para practicar.
○ Y debería hablar más en clase.

1 Una campaña publicitaria: "Aprende idiomas"

El ayuntamiento de una ciudad española ha lanzado una campaña para impulsar a la gente a aprender idiomas.

¿QUIERES LO MEJOR PARA TUS HIJOS?
AYÚDALES A CONSEGUIRLO EN **VARIAS LENGUAS**.

PORQUE **MULTILINGÜISMO** ES DIÁLOGO, COOPERACIÓN, CONVIVENCIA INTERNACIONAL.

PORQUE QUIEN APRENDE UNA **NUEVA LENGUA** ENTIENDE MEJOR EL MUNDO QUE LE RODEA.

PORQUE APRENDER **IDIOMAS** ES ENRIQUECER NUESTRO HORIZONTE PERSONAL.

PORQUE UN PAÍS DE **MONOLINGÜES** ES UN PAÍS POBRE.

AYUNTAMIENTO DE ASO
Departamento de Cultura

Las escuelas de idiomas de la ciudad también hacen publicidad.

YES IDIOMAS

Entre hablando una lengua y salga hablando dos (o tres, o cuatro).

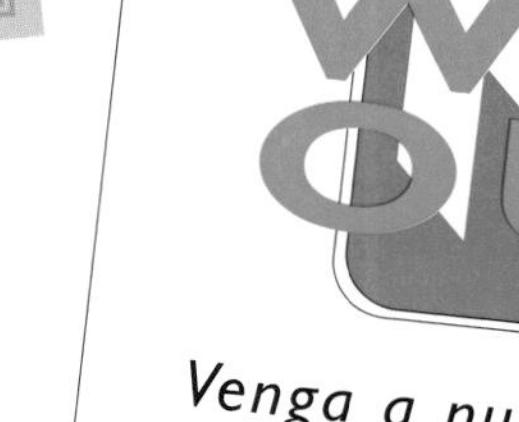

Venga a nuestra escuela y descubra la aventura de las lenguas.

EUROIDIOMAS

Estudie idiomas y aumente así sus oportunidades profesionales.

¿Qué opinas tú? Comenta tus puntos de vista con tus compañeros.

- A mí me gusta la idea de Way Out: "Aprender una lengua es como una aventura".
- A mí también; pero me gusta más la idea de que multilingüismo es diálogo.
- A mí me gusta la idea de aprender una lengua conociendo a la gente.

OS SERÁ ÚTIL...

Me gusta la idea de (que)...
Me parece bonita la idea de (que)...

❷ Condiciones óptimas de aprendizaje

Los investigadores han estudiado cuáles son los factores que condicionan el aprendizaje en el aula. Lee las siguientes afirmaciones y señala cuáles crees que son verdaderas y cuáles falsas.

1 Todas las personas aprenden espontáneamente y sin esfuerzo a hablar su propia lengua. Una lengua extranjera también puede aprenderse espontáneamente y sin esfuerzo. Sólo hay que seguir el método adecuado.

2 Lo mejor para el aprendizaje en el aula es crear situaciones de comunicación: los alumnos aprenden la lengua usándola.

3 Hay que hacer al menos una estancia en el país donde se habla la lengua.

4 No hay que frustrarse si, en el contacto con la lengua auténtica, no es posible entenderlo todo desde el primer día.

El buen estudiante tiene en cuenta el contexto, la situación y otros elementos para interpretar el sentido de lo que oye o lee.

5 Un factor clave: la motivación. Participar activamente en las tareas de clase y tomar la iniciativa.

6 Una buena medida: tratar temas interesantes. De otro modo, baja la motivación.

7 El aprendizaje de una lengua extranjera es, exclusivamente, un proceso intelectual. Por esa razón, la función principal del profesor es explicar la gramática.

8 Es muy importante el desarrollo de la conciencia intercultural: cada comunidad y cada sociedad tiene diferentes modos de organizar la vida social, y esto se refleja en los usos de la lengua.

9 Y una última ayuda: no sólo hay que aprender la lengua, sino también "aprender a aprenderla". Conocerse a uno mismo como aprendiz y potenciar el uso de más estrategias es muy útil.

CLAVE

VERDAD: 2-4-5-6-8-9 MENTIRA: 1-3-7

1: Aprender una lengua extranjera es una tarea compleja, que requiere esfuerzo y constancia. Sin embargo, todo el mundo puede aprenderla.

3: Una estancia en el país es una gran ayuda, pero no es necesaria. El contacto con la lengua auténtica sí lo es, y en el aula puede conseguirse con grabaciones magnetofónicas, en vídeo o películas, textos y documentos reales...

7: se trata de un proceso que implica la globalidad de la persona -"cuerpo y alma, entendimiento y sentimiento, cabeza, manos y corazón"- y no únicamente su dimensión intelectual.

Ahora, comenta tus respuestas con las de tus compañeros.

❸ Entrevista con un especialista en aprendizaje de lenguas extranjeras

Escucha esta entrevista. ¿Cuáles son las ideas principales? Anótalas. Te serán útiles para crear la lista de recomendaciones para ser un buen estudiante de español.

❹ En pequeños grupos vais a elaborar vuestra lista de recomendaciones

Revisad las lecciones 5 y 6. Elegid los consejos y recomendaciones que consideréis más importantes para aprender bien español.

Elaborad vuestra lista como más os guste: en forma de documento escrito (artículo periodístico con ilustraciones, como decálogo...), en forma de mural, como un anuncio publicitario, mediante un reportaje en el que podéis contar vuestras experiencias, etc.

Pensad en un título o eslogan al estilo de los que aparecen en el ejercicio 1 de esta lección.

La lengua y las personas

El lenguaje es un fenómeno esencialmente enlazado con la vida. La mayor parte de las cosas que hacemos en la vida, las hacemos a través de la lengua: actuar, negociar, jurar, odiarnos y amarnos. Por la lengua llegamos a ser quienes somos, gracias a ella aprendemos y nos desarrollamos como personas. Con ella nos ocultamos o nos mostramos a los demás. Ella nos identifica y en ella compartimos una cultura y un mundo. Aprendemos a jugar con las palabras y a entender la belleza de decir y de hacer un poema. Por la lengua somos y nos realizamos, luchamos por comunicarnos y creamos discursos que son nuevas realidades que nos envuelven, nos miman y nos atrapan. No podía ser que toda esta riqueza y toda esta complejidad se explicase únicamente por unas reglas (...) Y, efectivamente, no es así (...) Más allá de todas los ortodoxias, e incluso más allá de todos los especialistas que han escrito sobre el lenguaje y sus usos, su riqueza continúa, desbordada e inalcanzable. (Castellà, J.M.)

1 ¿Cuál de estas tres frases sintetiza mejor el texto de Castellà?

a) La lengua no se puede reducir a una serie de reglas gramaticales. Es algo más vivo.
b) La lengua sirve para entendernos con los demás, aunque también es causa de muchos malentendidos.
c) Los lingüistas no pueden explicar toda la complejidad del fenómeno de la lengua.

2 ¿Qué te sugieren las palabras "desayuno", "pan" y "vino"?

Escribe las primeras palabras que te vienen a la mente al oír cada una de ellas.

Ahora, escucha a estos españoles y compara lo que les sugieren a ellos con lo que sugieren a la clase.

Como veis, las palabras no son algo aislado que se puede trasladar de una lengua a otra de modo universal; no se puede aprender el léxico fuera del contexto cultural en que se usa.

3 El poder evocador de los sonidos de la lengua

El poeta francés A. Rimbaud escribió un poema en el que asociaba las vocales con distintos colores. Intenta establecer tú estas relaciones y mira después si coinciden con las de Rimbaud.

"Responder a una pregunta es contestar a una persona, no a un enunciado."

(Edmonson)

Vocales	Colores
	naranja
A	blanco
E	azul
I	verde
O	rojo
U	negro
	amarillo

La respuesta de Rimbaud es: A negro, E blanco, I rojo, O azul, U verde.

9 10 11 12

Vamos a planificar un fin de semana en una ciudad española. Para ello, practicaremos:

- ✔ el intercambio de información sobre actividades de ocio
- ✔ maneras de acordar actividades y concertar citas

gente que lo pasa bien

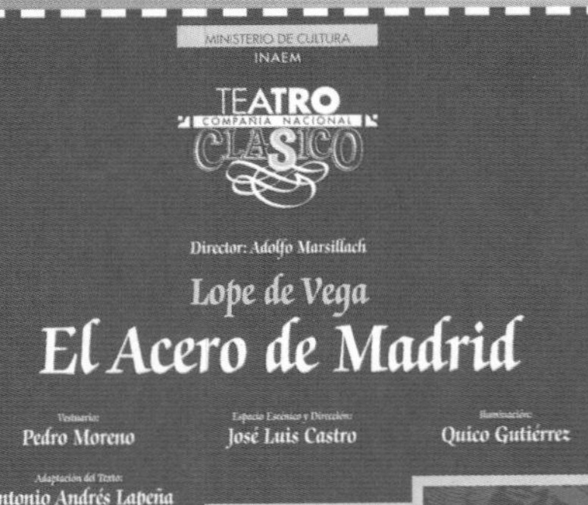

LES LUTHIERS

"Les Luthiers, Grandes Hitos" Antología

DEL 8 AL 19 DE NOVIEMBRE
a las 9'30 de la Noche
10 UNICOS DIAS

DISCOTECA

BAR Round midnight

Copas y cervezas de importación en un ambiente muy especial

Actuaciones de jazz y blues todos los viernes y sábados
Martes a domingo 21.00-03.00
General Jáuregui, 14

Ven a nuestras cenas mágicas
y vive una noche muy especial en

La mandrágora

El primer restaurante mágico y esotérico

MENÚ SELECCIONADO astrológicamente para cada día
A LA HORA DE LAS BRUJAS, actos mágicos y parapsicológicos realmente espectaculares
CARTA ASTRAL para cada uno de los comensales
RESPUESTAS A SUS PREGUNTAS con las artes adivinatorias del tarot

SHOW DE HIPNOSIS Y MENTALISMO
Y TODO ELLO POR UN PRECIO ÚNICO Y AJUSTADÍSIMO
Calabria, 171. Reservas individuales y grupos. Tel. 226 42 53 - 226 60 42

CARRERAS DOMINGO PAVAROTTI y LEVINE
LOS 3 TENORES
PHILHARMONIA ORCHESTRA LONDON

1 Para pasarlo bien

Echa un vistazo a estos documentos. ¿Qué anuncian?

una película · un concierto · un restaurante · una obra de teatro

un bar · una discoteca · un espectáculo de danza/magia...

Escucha a estas personas. ¿Qué actividad de las que aparecen en los anuncios les gustaría hacer el fin de semana?

1. MARTA: ____________________
2. PABLO: ____________________
3. JUAN ENRIQUE: ____________________
4. LORETO: ____________________
5. CARMIÑA: ____________________

¿Y a ti? ¿Cuál de estos planes te interesa más?

● A mí me gustaría oír a los tres tenores.

2 Los sábados por la noche

¿Qué sueles hacer los sábados por la noche? ¿Alguna de estas cosas? Coméntalo con tus compañeros.

	normalmente	a veces	nunca
voy a algún concierto			
voy al teatro			
voy al cine			
voy a tomar algo			
salgo a cenar			
me quedo en casa viendo la tele			
voy a casa de amigos			
voy a bailar			
OTRAS COSAS:			

● Yo, normalmente, los sábados por la noche me quedo en casa: veo la tele, leo...
○ Yo salgo con amigos a tomar algo, o voy al cine.

1 La fiebre del viernes por la noche

Contexto

Es viernes y esta noche Valentín no sabe qué hacer. Tiene ganas de salir y ha escuchado a unos compañeros suyos de trabajo que hacen planes.

Valentín es muy aficionado al fútbol y no le gusta demasiado ir al cine. No soporta bailar pero, en cambio, le encanta la música. Le gusta Clara.

Normalmente, los sábados sale con alguien a tomar algo.

Acaba de romper con Elena, su novia, y está un poco triste.

Está un poco gordo, tiene colesterol y está a dieta.

GUÍA DEL OCIO

ÁNGELES CAÍDOS
General Ramos, 3. Cócteles, humor y karaoke hasta las 3 de la madrugada. Tarjetas. Lunes cerrado.

EL SÉPTIMO CIELO
Cenas con música clásica. Venus, 15 (esquina Peligro) tel. 234 56 11. Parking clientes.
Especialidad en buey a la parrilla y marisco. Menú gastronómico: 7.000 ptas. Abierto de 8h a 1.30h. Viernes y sábados hasta 2.30h.

RESTAURANTE PIZZERÍA MASTROPIERO
Cocina italo-argentina. Ensaladas, pizzas y carnes. Tel. 232 46 78.

RETRANSMISIÓN DESDE EL ESTADIO SANTIAGO BERNABÉU
REAL MADRID
F.C. BARCELONA
HOY a las 22.00 en Antena 5

Actividades

A Escucha las cuatro conversaciones de los compañeros de trabajo de Valentín. ¿Qué van a hacer?

Tina *Va a salir con Elena.*
Clara ______________
Claudia y Lola ______________
Federico y Alejandro ______________
Ramón y Beatriz ______________

B Fíjate en la información que tienes sobre Valentín. ¿Con quién crees que puede salir esta noche?

	sí	no	¿Por qué?
con Clara			
con Tina			
con Claudia y con Lola			
con Federico y con Alejandro			
con Ramón y con Beatriz			

C ¿Y tú? ¿Con quién saldrías esta noche?

Yo saldría con ______________ porque ______________.

D ¿Te has fijado en cómo se hacen las siguientes cosas en estas cuatro conversaciones? Vuélvelas a escuchar y trata de anotarlo.

1. Expresar el deseo de hacer algo.
2. Proponer una cita.
3. Proponer una actividad.
4. Rechazar una invitación.

1 Clásicos del cine

Seguro que has visto algunas de estas películas. Di alguna cosa de una de ellas sin mencionar el título. Tus compañeros tienen que adivinarla.

- Es una película de ciencia ficción y sale Sigourney Weaver. Es buenísima.
- ¡*Alien*!
- Sí.

COWBOY DE MEDIANOCHE
Amarcord
To be or not to be
Memorias de África
Mujeres al borde de un ataque de nervios
BLADE RUNNER
PSICOSIS
BAGDAD CAFÉ
La guerra de las galaxias
EL APARTAMENTO
El paciente inglés
2001 ODISEA EN EL ESPACIO
Como agua para chocolate
ANNIE HALL
Casablanca
Lo que el viento se llevó
El Padrino
Titanic
Las amistades peligrosas

Imagina que esta noche puedes ver una de ellas. ¿Cuál eligirías? ¿Por qué? ¿Cuál es la película que más gusta en nuestra clase? ¿Votamos?

- A mí la que más me gustaría volver a ver es *Blade Runner*. Es una película de ciencia ficción muy original.

2 ¿Habéis visto *Belle époque*?

Si te gusta el cine, seguro que puedes recomendar alguna película a tus compañeros. Descríbela y da tu opinión.

- ¿Habéis visto *Belle époque*? Es una comedia de Fernando Trueba muy divertida, los actores son muy buenos... Está muy bien... A mí me encantó.
- Yo no la he visto.
- Yo sí. A mí también me gustó mucho.

También puedes recomendar un restaurante o algún espectáculo (teatro, concierto...).

- Pues el otro día fui a cenar a un restaurante muy bueno...
- ¿Ah sí? ¿Dónde?
- Al lado de la Catedral. ¡Pedí un solomillo que estaba...!

VALORAR Y DESCRIBIR UN ESPECTÁCULO

- **¿Habéis visto** Forrest Gump**?**
- **Yo no la he visto.**
  Yo sí, es...
  ... genial/buenísima/divertidísima.
  ... bastante buena/interesante.
  ... un rollo.
  ... muy mala.

A mí me encantó.
me gustó bastante.
no me gustó nada.

Es un tipo de cine / teatro / concierto / música **que no soporto.**

No soporto ese tipo de películas. / teatro.

Es una comedia.
un thriller.
una película de acción.
del oeste.
de aventuras.
de guerra.
de terror.
de ciencia ficción.
policíaca.

El director es Carlos Saura. =
Es una película de Carlos Saura.

El protagonista es Antonio Banderas.
Andy García.

Sale Victoria Abril.

Trata de un periodista que va a Bosnia y... = **Va de** un periodista que va a Bosnia y...

PONERSE DE ACUERDO PARA HACER ALGO

Preguntar a los demás
¿A dónde podemos ir?
¿Qué te/le/os/les apetece hacer?
¿A dónde te/le/os/les gustaría ir?

Proponer
¿Por qué no vamos al cine?
¿Y si vamos a cenar por ahí?
¿Te/os/le/les apetece ir a tomar algo?

Aceptar
Vale.
Buena idea. Me apetece.

Excusarse
Es que hoy / esta noche **no puedo.** / **no me va bien.**

DESEOS DE HACER ALGO

Me gustaría dormir todo el día.
ir a nadar.
ver esa película.
Me apetece ir a un concierto.

Apetecer funciona como **gustar**:
Me **apetece** ir al cine.
Me **apetecen** unas aceitunas.

3 La caja tonta

Esto es una programación de la hora de mayor audiencia de varias cadenas de TV españolas. ¿Puedes deducir qué tipo de programas son los señalados?

un noticiario — una película — una serie — un reportaje — un concurso — un "reality show" — un debate — una retransmisión deportiva

TV1	La 2	TELE 5
21.00 Telediario 2	**21.00 Los pueblos**: "San Millán de la Cogolla"	**21.30 Más que amigos**: "Recalentados". Víctor y Mar buscan piso para irse a vivir juntos, pero él cada vez se siente más insatisfecho con su situación laboral.
21.25 El tiempo	**21.30 Índico 2**: "Sri Lanka"	**22.30 La ruleta de la fortuna**
21.30 Sólo goles	**22.15 Rally París-Granada-Dakar**	**23.00 Murder One** (nueva temporada) Capítulo 1.
22.00 ¡Qué grande es el cine español!: "El Sur"	**22.30 Gol norte**	
	23.30 Estudio Estadio	

¿Es una programación parecida a la de las cadenas de mayor audiencia de tu país? ¿Puedes recomendar a tus compañeros un programa de televisión?

- Yo, los martes por la mañana, sigo en la tercera cadena un curso de español. Está bastante bien.
- ¿A qué hora?
- A las 8.30h. Se llama "¿Hola, qué tal?"

4 Me encantaría pero...

En la vida, muchas veces hay que dar excusas. Para practicar cómo excusarnos cuando nos invitan, jugaremos un poco. Escribe en seis papelitos:

- tres propuestas o invitaciones
- tres excusas para esas propuestas

El profesor las mezclará y las volverá a repartir. Entre todos vamos a relacionarlas.

- ¿Te apetece ir al cine esta tarde? A mí me gustaría ver *Rambo 14*.
- Esta tarde no me va bien. Tengo que ir al médico...

5 Un domingo ideal

Escucha a estos españoles que describen su domingo ideal. ¿De cuáles de estos momentos hablan?

	1	2	3	4	5
HORA DE LEVANTARSE					
DESAYUNO					
DURANTE LA MAÑANA					
COMIDA					
DESPUÉS DE COMER					
DURANTE LA TARDE					
CENA					
POR LA NOCHE					

Imaginemos ahora que el próximo domingo puedes hacer todo lo que más te gusta, esas cosas que muchas veces no puedes hacer. ¿Qué harías? Piénsalo un poco y, luego, explícaselo a tus compañeros.

- Yo me levantaría muy tarde, a las once o a las doce... Luego desayunaría en la cama...

1 Un fin de semana en Madrid

Vamos a imaginar que toda la clase pasa un fin de semana en Madrid. Hay que planear las actividades. Tienes todas estas informaciones que aparecen en la revista "Gente de Madrid".

MADRID DÍA Y NOCHE

Madrid es una de las ciudades con más vida de Europa. El clima y el carácter de los madrileños han hecho proliferar muchos locales dedicados al ocio. Además de las posibilidades de diversión concretas -zoo, parques de atracciones, museos, etcétera- hay innumerables bares, discotecas, cabarets, "after hours" y locales de música en vivo. En especial, si visita la capital de España en primavera o verano, prepárese para acostarse muy tarde, pues poquísimas ciudades en el mundo tienen una vida nocturna como la de Madrid. En Madrid se sale a cenar entre las 10 y las 11. Se acude a un bar hasta más o menos las 2 y luego se va a una o varias discotecas. Algunas cierran ya amanecido.

VISITAS DE INTERÉS

El Madrid de los Austrias
Los edificios más antiguos de Madrid (s. XVI). Pequeñas plazas y las calles más encantadoras de la ciudad, ideales para recorrer a pie.

La Gran Vía
El centro de Madrid por excelencia, una calle que nunca duerme. Cafeterías, restaurantes, tiendas y librerías siempre llenas.

La Plaza de Santa Ana
Centro favorito de reunión de los turistas y estudiantes extranjeros. Ofrece una enorme variedad de bares de tapas, restaurantes, cafés, clubs de jazz, pensiones y hoteles.

El Barrio de Salamanca
Una de las zonas más elegantes de Madrid. Tiendas lujosas en calles como Serrano o Velázquez y buenos restaurantes.

El Parque de El Retiro
Un parque enorme con agradables paseos y un lago para remar.

El Palacio de Oriente (s. XVIII)
En su interior se pueden admirar cuadros de Goya y obras de artistas franceses, italianos y españoles. Calle Bailén. De 9 a 18h de lunes a sábados. Festivos, de 9 a 15h.

La Puerta del Sol
El centro oficial del territorio español, donde se halla el Km 0 de la red viaria. Bares, tiendas y mucha animación.

El Barrio de Malasaña
Ambiente bohemio y "underground" en bares de rock y cafés literarios abiertos hasta la madrugada.

El Paseo de Recoletos y la Castellana
Los edificios más modernos de Madrid, como las sedes de los grandes bancos, la Torre Picasso o las Torres KIO.

PZA. DE TOROS DE LAS VENTAS
Viernes, sábado y domingo.
22.00 h.
Precio entrada: 2.500 Pts.

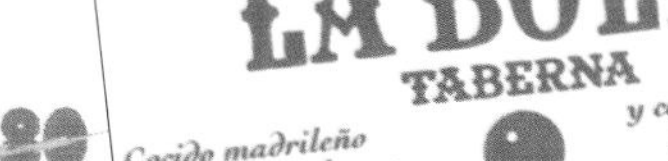

LA BOLA
DESDE 1870
TABERNA
Cocido madrileño en puchero de barro individual
y con el buen tiempo ¡el gazpacho más gustoso de la ciudad!
Bola, 5 ☎ 547 69 30 - 541 71 64

SEÑORIO DE MADRID
La calidad con trato exquisito
ACTUACIONES EN VIVO
Alcalá, 35 ☎ 531 41 47
www.todoesp.es/sixto/go.html

EN CARTEL

BARÓN ROJO
Unos históricos del heavy español, Barón rojo, vuelven a la carga este viernes en La Sala (Nuestra Señora de Fátima, 42) a las 22.30h. Entradas a 1.600 ptas.

PABLO MILANÉS Y VÍCTOR MANUEL
"En blanco y negro". Plaza de toros de Las Ventas. Viernes, sábado y domingo a las 22h. Precio de la entrada: 2.500 ptas. La canción de autor española y la Nueva Trova Cubana unidas en uno de los conciertos más esperados del año.

ARTE Y CULTURA

GABRIEL GARCÍA MÁRQUEZ
Conferencia del escritor G. García Márquez en el Círculo de Bellas Artes: "El concepto de realidad en la narrativa hispanoamericana". Domingo a las 18h.

MUSEO DEL PRADO
Paseo del Prado. Tel. 420 37 68. Horario: de martes a domingo, de 9 a 19h. Lunes cerrado. La mejor pinacoteca del mundo. Posee las incomparables colecciones de Goya, Velázquez, El Greco, Murillo, Rubens, Tiziano, Durero o El Bosco.

THYSSEN-BORNEMISZA
Paseo del Prado, 8. Tel. 369 01 51. Martes a domingo de 10 a 19h. La mejor colección privada de pintura europea.

CENTRO DE ARTE REINA SOFÍA
Santa Isabel, 52. Tel. 4675062. Cierra los martes. Organiza interesantes exposiciones de arte contemporáneo que incluyen las últimas vanguardias.

DE NOCHE

LÁSER
Discoteca Láser. Las últimas tendencias en música electrónica en el local más innovador de la ciudad. De 23 a 6h.

GOURMET

TABERNA CASA PATAS
Casa Patas ofrece las noches de flamenco con más duende de Madrid, con artistas de la talla de Chaquetón, Remedios Amaya, Chano Lobato, Niña Pastori y muchos más, en un tablao nunca saturado por los autobuses de turistas. Antes y durante el espectáculo servimos tapas de jamón, queso, lomo o chorizo, platos de pescadito frito, entrecots y la especialidad de la casa: rabo de toro. Cañizares, 10. Metro: Antón Martín. Reservas: 369 04 96 y 429 72 89. Horario de restaurante de lunes a domingo: de 12 a 17h y de 20 a 2h. Espectáculo: L, M, X y J a las 22.30h. V y S a las 24h.

EL PUCHERO
Restaurante de cocina española y tapas. Albóndigas, callos, almejas a la marinera, morcillas de Burgos.

DEPORTES

WIMBLEDON
Retransmisión de la final femenina de Wimbledon el sábado a partir de las 15h.

LIGA DE CAMPEONES
Final de la Champions League en Madrid. Sábado a las 21h. Estadio Santiago Bernabéu.
Entradas: 222 23 45

Escribe tus preferencias para el fin de semana.

viernes por la noche — sábado por la mañana — comida del sábado
sábado por la tarde — sábado por la noche — domingo por la mañana
comida del domingo — domingo por la tarde

Puedes obtener más información escuchando el programa de radio "Gente divertida", así podrás completar o modificar tus planes para el fin de semana.

OS SERÁ ÚTIL...

Dónde y cuándo
El concierto **es** a las 8h.
El concierto **es** en el Teatro Real.

Para concertar una cita

¿Cómo / ¿A qué hora / ¿Dónde } quedamos?

¿Quedamos en mi hotel?
¿Te/os/le/les va bien...
...delante del cine?
...a las seis?
...el sábado?

Para proponer otro lugar u otro momento
(Me iría) mejor...
Preferiría...
...un poco más tarde.
...por la tarde.
...en el centro.

Para hablar de una cita
He quedado a las 3h **con** María **en** su hotel **para** ir al Prado.

2 ¿Qué queréis hacer?

Cada uno explica las cosas que más le apetece hacer y busca compañeros para hacerlas. Luego, tendréis que organizar las citas: decidir la hora, el lugar, quién reserva o saca las entradas, etc.

- Pues a mí, el sábado por la mañana me gustaría ir de compras al barrio de Salamanca. ¿A alguien más le apetece?
- A mí.
- Pues podemos ir juntos, si quieres.
- Vale, ¿a qué hora quedamos? ¿A las 10?
- Mejor un poco más tarde, ¿qué tal a las 11?
- Perfecto.

Para acordarte de todo, puedes resumir los datos de las citas del modo siguiente.

He quedado con ______________________
para ______________________
Hemos quedado en ______________ a las ____
Tengo que ______________________

3 El próximo sábado

¿Y en el lugar donde estamos estudiando español? ¿Qué se puede hacer el próximo fin de semana? Comentadlo y anotad las propuestas más interesantes.
También podéis buscar información (en Internet o en la prensa) sobre la oferta de ocio de alguna ciudad donde se habla español.

Fin de semana en la calle

A los extranjeros que visitan España les llama mucho la atención la cantidad de gente que hay en la calle. Y la cantidad de bares.

Es seguramente la versión urbana moderna de la tradición mediterránea del ágora, de la plaza como lugar de encuentro. Y es que el "hobby nacional" es, sin duda alguna, hablar. Se habla en la calle, en los restaurantes, en las terrazas, con los amigos o con la familia. Y se habla generalmente en torno a una mesa, o en una barra de bar, casi siempre bebiendo o comiendo.

Los fines de semana mucha gente huye de las grandes ciudades. Son muchos los que tienen una segunda residencia, en el campo o en la playa. Muchas familias se reúnen en la antigua casa familiar, en el pueblo. El problema es la vuelta a casa el domingo. Sufrir un atasco impresionante para entrar en la ciudad es casi inevitable.

Los que se quedan en la ciudad, salen. Y salen mucho. Por ejemplo, al mediodía, antes de comer, van a tomar el aperitivo. Un paseo, unas cañas y unas tapas en una terraza, al sol, son para muchos el máximo placer de un domingo. Luego, se come en familia, muy tarde, sobre las tres o pasadas las tres. Se come en la propia casa, en la de los abuelos, o en casa de los tíos o de los hermanos. O si no, en un restaurante.

Por las tardes hay larguísimas colas en los cines y las calles céntricas están llenas de paseantes.

Las noches de los viernes y de los sábados las ciudades están también muy animadas y hay tráfico hasta la madrugada: gente que va o que viene de los restaurantes, gente que entra o sale de los espectáculos y grupos de jóvenes que van a bailar o a tomar algo.

Otra de las cosas que puede sorprender al visitante es lo poco planificado que está el ocio. Muchas veces nos encontramos con alguien, sin haber decidido muy bien qué vamos a hacer. Nos citamos a una hora no muy exacta ("a eso de las nueve", "sobre las diez", ...) y luego "ya veremos". Se toma algo en un sitio y, al cabo de un rato, el grupo se traslada a otro lugar, lo que también sorprende a muchos extranjeros. Y es que, para los españoles, es más importante con quién se está que dónde se está.

En los últimos años la práctica de deportes se ha puesto de moda y son muchos también los que organizan su tiempo libre y sus fines de semana en torno a su deporte favorito: la bicicleta o el tenis, el esquí o el golf, el jogging, el fútbol o la vela... Pero, ojo, siempre con amigos... Y hablando.

1 **Observa las fotos y coméntalas con tus compañeros. ¿Hay cosas que os sorprenden?**

2 **Lee el texto. ¿Puedes relacionar las imágenes con algunas de las informaciones que da?**

3 **¿Qué es igual y qué es diferente en tu cultura?**

13 14 15 16

Vamos a crear una campaña para la prevención de problemas de salud o accidentes. Para ello practicaremos maneras de:

- ✔ dar consejos y recomendaciones
- ✔ referirnos a estados físicos y enfermedades
- ✔ advertir de peligros

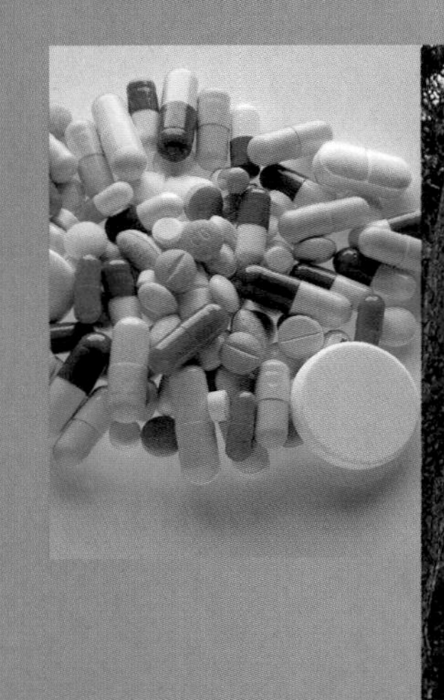

gente sana

1 Consejos para un corazón sano
El periódico "La Vanguardia" publicó estos consejos para prevenir problemas cardiovasculares. Léelos y decide si estás cuidando bien tu corazón.

¿CUIDA USTED SU CORAZÓN?

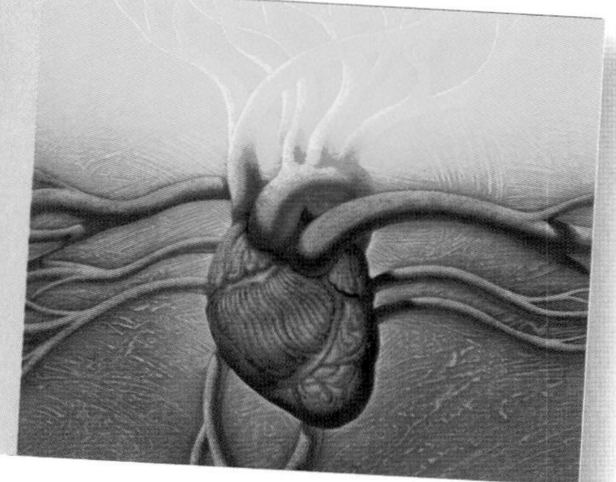

¿FUMA?

Si fuma, déjelo.
No será fácil. Al 50% de los fumadores les cuesta mucho.
Hay tratamientos que ayudan (chicles, parches, acupuntura...), sin embargo la voluntad es lo más importante.

¿TIENE LA TENSIÓN ALTA?

Si las cifras de tensión son superiores a 140 de máxima y 90 de mínima, visite al médico. La hipertensión es peligrosa. No causa molestias pero poco a poco va deteriorando las arterias y el corazón. Si le han recetado pastillas, no deje el tratamiento.

¿TIENE EL COLESTEROL ALTO?

Si tiene el colesterol superior a 240 mg/dl, reduzca el consumo de grasas animales y aumente el de frutas y verduras.

¿BEBE ALCOHOL?

Un poco de vino es bueno para el corazón. Pero más de dos vasos al día dejan de ser saludables y más de cuatro pueden ser peligrosos.

¿TIENE EXCESO DE PESO?

Divida su peso en kilos por el cuadrado de su altura.
Si el resultado está entre 25 y 29, debe reducir peso. Si está por encima de 30, debe visitar a un especialista.
Si desea adelgazar, no haga dietas extremas.

Ejemplo: usted mide 1´73 metros y pesa 78 kilos.

Operaciones:
1. El cuadrado de su altura: 1´73 x 1´73 = 3.
2. El peso dividido entre el cuadrado de su altura: 78 : 3 = 26.
Conclusión: Debe usted reducir peso.

¿HACE EJERCICIO?

Un paseo diario de 45 minutos es el mejor ejercicio a partir de una cierta edad. Los deportes violentos pueden tener efectos negativos para su corazón.

¿TIENE ALGÚN RIESGO COMBINADO?

Si tiene varios de los factores de riesgo anteriores, debe vigilarlos mucho más.

UN FUMADOR DE 40 AÑOS QUE DEJA DE FUMAR GANA CINCO AÑOS DE VIDA CON RESPECTO A OTRO QUE SIGUE FUMANDO. A LOS DOS AÑOS DE DEJARLO, SU CORAZÓN ES COMO EL DE UN NO FUMADOR.

- [ ] Cuido bien mi corazón.
- [ ] Tengo que cuidarme un poco más.
- [ ] ¡Tengo que cambiar urgentemente de vida!

1 Unas vacaciones tranquilas

La compañía aseguradora GENSEGUR ha elaborado esta campaña informativa para evitar los problemas típicos del verano a sus asegurados.

Actividades

A Antes de leer los textos, piensa...
¿Qué problemas podéis tener en vacaciones? Haced entre todos una lista.
¿Qué hay que hacer para evitarlos o para combatirlos?

B Después de leer los textos, podrás terminar estos consejos.
Si tomas el sol, ...
Si comes en un restaurante en verano, ...
Si te pica una garrapata, ...
Si tienes diarrea, ...
Si, después de una picadura, tienes vómitos, ...

C ¿Has tenido en vacaciones alguno de estos problemas? ¿Cómo fue? Cuéntalo a tus compañeros.

- Yo una vez en la costa me comí unas ostras y...

D Escucha la cinta y completa el cuadro.

	¿Qué le ha pasado?	¿Qué tiene que hacer?
1		
2		
3		

GENSEGUR, gente prevenida

ASEGÚRESE UN VERANO

TRANQUILO

El verano es una época para disfrutar. Pero esas vacaciones que todos esperamos traen también, a veces, enfermedades y problemas muy molestos. Hemos elaborado una serie de consejos para evitar problemas de salud frecuentes en esta época del año. Si, a pesar de nuestros consejos, sufre alguno de estos problemas durante sus vacaciones, recuerde que el SERVICIO MÉDICO TELEFÓNICO de GENSEGUR está a su disposición las 24 horas del día. Tel.: 91-567 77 77

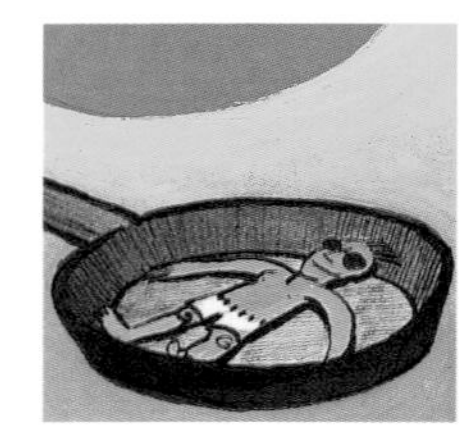

LESIONES PROVOCADAS POR EL SOL

Tomar el sol moderadamente es beneficioso: el sol proporciona vitamina D. Sin embargo, si se toma en exceso, el sol se puede convertir en un peligro.

¿QUÉ HACER?

Quemaduras

Para calmar el dolor es conveniente aplicar agua fría, usar un hidratante sin grasa y no poner nada en contacto con la piel durante unas horas.

Insolación

Si es ligera, aplíquense paños húmedos por el cuerpo y la cabeza, beba tres o cuatro vasos de agua salada (una cucharadita de sal en un litro de agua), uno cada cuarto de hora y procure descansar en un lugar fresco.
Si es grave, debe llamar al médico. A un paciente que está inconsciente, no se le debe dar nada de beber, hay que refrescarlo con paños húmedos y trasladarlo al hospital.

Para prevenir quemaduras es aconsejable utilizar cremas con filtros solares. Aun sin llegar a producir quemaduras, el exceso de calor solar también es peligroso. Un exceso de rayos solares puede producir insolación. Ponernos una gorra o buscar zonas de sombra, especialmente en las horas del mediodía, puede evitarnos un buen susto.

INFECCIONES ALIMENTARIAS

El calor hace proliferar frecuentemente gérmenes en algunos alimentos, lo que puede provocar diarreas, vómitos y fiebre. No tome alimentos con huevo crudo o poco hecho. Controle también las fechas de caducidad de las conservas.

Las intoxicaciones más comunes son las producidas por:
a. La salmonella (se encuentra en aves, huevos y carne de vacuno)
b. El estafilococo aureus (en aves, carne, jamón y repostería)
c. La shigella (en ensaladas y frutas crudas)
d. El clostridium botulinum (en carne ahumada, conservas y miel)

¿QUÉ HACER?

Tras una intoxicación de este tipo, haga dieta absoluta el primer día. Tome únicamente limonada alcalina (1litro de agua hervida, 3 limones exprimidos, una pizca de sal, una pizca de bicarbonato y 3 cucharadas soperas de azúcar). El segundo día puede tomar ciertos alimentos en pequeñas cantidades: arroz blanco, yogur, plátano, manzana golden, zanahoria, etc.

PICADURAS

En verano son frecuentes las picaduras. Aquí tiene algunas informaciones sobre las más comunes: qué síntomas producen y cuál es su tratamiento.

DE ABEJA Y AVISPA Las más graves son las picaduras que provocan reacciones alérgicas y las masivas. Es especialmente peligroso si el insecto pica en la cabeza.
Los síntomas más frecuentes son inflamación, dolor y escozor.
En algunos casos pueden aparecer diarreas, vómitos, dificultad al tragar, convulsiones, etc. En este caso, hay que llevar al paciente al servicio de urgencias más próximo.

DE ARAÑA El lugar de la picadura se enrojece y produce bastante dolor. Puede ponerse una pomada en la zona afectada.

DE ESCORPIÓN Las picaduras de escorpión pueden ser mortales. Causan dolor intenso, inflamación y quemazón. El paciente suda, tiene náuseas y padece dolor muscular y abdominal. Conviene aplicar un torniquete en la zona afectada y trasladar inmediatamente al paciente a un hospital.

DE GARRAPATA La picadura no duele pero puede transmitir enfermedades. Es aconsejable extraer la garrapata (la gasolina es muy útil ya que actúa como lubricante) y consultar a un médico.

2 ¿Qué hacer?
¿Y si te pica una medusa? ¿Qué hay que hacer? ¿Qué no se debe hacer?

Hay que	No se debe	
		1. sacar a la persona del agua
		2. dejar a la persona en el agua
		3. lavar la zona afectada con agua limpia, amoniaco o vinagre
		4. trasladar a la persona al hospital si la picadura ha afectado una gran superficie
		5. tumbar a la persona afectada si la picadura es grave
		6. frotar la zona de la picadura
		7. lavar la picadura con agua de mar
		8. dejar los restos de medusa en la piel

1. Hay que 2. No se debe 3. Hay que 4. Hay que 5. Hay que 6. No se debe 7. No se debe 8. No se debe

1 La historia clínica

Juan José Morales Ramos ha tenido que ir a urgencias porque se ha caído. La enfermera ha rellenado esta ficha. Léela y después haz tú una igual con tus datos. Luego haz preguntas a un compañero para hacer la suya. Si lo preferís, podéis inventaros la información.

Nombre: *Juan José* Apellidos: *Morales Ramos* Nº Seguridad social: *456666231*
Edad: *31 años* Peso: *85 kilos* Estatura: *1´81*
Grupo sanguíneo: *A +* Enfermedades: *meningitis, hepatitis*
Operaciones: *apendicitis, menisco* Alergias: *ninguna*
Observaciones: *paciente hipertenso, fumador*
Medicación actual: *cápsulas contra la hipertensión*
Motivo de la visita: *dolor agudo en la rodilla izquierda producido por una caída*

2 Cuando tienes conjuntivitis...

¿Conoces estas enfermedades? Elige una que conozcas y describe los síntomas, lo que hay que hacer y lo que no se debe hacer. Tus compañeros tratarán de adivinar cuál es. Aquí tienes algunas.

la anemia · el lumbago · el asma · la tortícolis

la diabetes · la migraña · la bronquitis · la gripe · la gastritis

la conjuntivitis · la otitis

- Te duelen los ojos. No se debe tomar el sol, ni ver la tele... Y hay que lavarse los ojos con una infusión de manzanilla...
- ¡La conjuntivitis!

ESTADO FÍSICO Y SALUD

¿Cuánto pesa/s?
¿Cuánto mide/s?
¿Cuál es su/tu grupo sanguíneo?
¿Es/eres alérgico a algo?
¿Ha/s tenido alguna enfermedad grave?
¿Lo/la/te han operado alguna vez?
¿De qué lo/la/te han operado?
¿Toma/s algún medicamento?
¿Qué le/te pasa?

No me encuentro bien.
No me siento bien.
Estoy cansado/enfermo/mareado/resfriado...

Me/te/le duele la cabeza.
el estómago.
una muela.
aquí.

Me/te/le duelen los ojos.
los pies.

Tengo dolor de muelas.
cabeza.
barriga.

Tengo un resfriado.
una indigestión.
la gripe.
diarrea/paperas/ anginas/...

Tomo unas pastillas para el insomnio.
un jarabe para la tos.
Me pongo...
...unas inyecciones para la anemia.
...unas gotas para el oído.

TÚ IMPERSONAL

Si **comes** demasiado, **engordas**.
Cuando **tienes** la gripe, **te sientes** fatal (=cualquier persona, todo el mundo).

RECOMENDACIONES

Si tienes la tensión alta...
...no tomes sal.
...no debes tomar sal.
Cuando se tiene la tensión alta...
...no hay que tomar sal.
...no es conveniente tomar sal.
...conviene tomar poca sal.

IMPERATIVO

FORMAS REGULARES

	TOMAR	
tú	tom**a**	no tom**es**
usted	tom**e**	no tom**e**

	BEBER		VIVIR	
tú	beb**e**	no beb**as**	viv**e**	no viv**as**
usted	beb**a**	no beb**a**	viv**a**	no viv**a**

FORMAS IRREGULARES

	HACER	
tú	**haz**	no **hag**as
usted	**hag**a	no **hag**a

	IR	
tú	**ve**	no **vay**as
usted	**vay**a	no **vay**a

PODER (RECOMENDACIONES Y ADVERTENCIAS)

Si tomas tanto el sol, te **puedes** quemar.
Póngase una chaqueta. **Puede** resfriarse.
Podéis tomar unas hierbas. Os sentarán bien.
Algunos deportes **pueden** ser peligrosos para el corazón.

3 ¿Qué les pasa?

Escucha la cinta y anota qué problemas tienen. Después de oír lo que les pasa, ¿qué crees que deberían hacer?

	¿QUÉ LE PASA?	DEBERÍA...
A Alicia		
A Fabi		
A Amalia		

4 Problemas de salud

Imagina que tienes algún problema de salud. Anota los síntomas y, luego, explícaselos a la clase. Algunos compañeros deberán darte consejos.

¿QUÉ TE PASA?	ESPECIALMENTE CUANDO...
Me pican los ojos	leo o veo la tele

- ● Me pican mucho los ojos. Especialmente si leo o veo mucho la tele.
- ○ Pues debes ir al oculista. A lo mejor necesitas llevar gafas.
- ■ Y no veas tanto la tele.

5 A dieta

Estas amigas comentan diversas dietas para adelgazar. ¿En qué consisten? ¿Cuál te parece mejor? ¿Por qué?

	SE PUEDE	NO SE PUEDE	PROBLEMAS
dieta de las disociaciones			
dieta del "sirop"			
dieta del astronauta			

¿Y tú? ¿Haces o has hecho dieta alguna vez para adelgazar? Cuéntasela a tus compañeros.

Hay que... No se debe... Sin embargo se puede...

1 Más vale prevenir que curar

En pequeños grupos, vamos a desarrollar una campaña de prevención de accidentes o de algún problema de salud. ¿Cuál de los siguientes temas te parece más interesante? Busca a los compañeros que se interesan por el mismo, para formar un grupo de trabajo con ellos.

LOS ACCIDENTES DE TRÁFICO

EL DOLOR DE ESPALDA

EL TABACO

OS SERÁ ÚTIL...

Relacionar ideas

La nicotina tiene efectos muy nocivos, **sin embargo** muchas personas fuman.

A pesar de que el tabaco es peligroso, mucha gente no puede dejarlo.

Muchas personas luchan contra el tabaco **ya que** saben que es peligroso.

Adverbios en **-mente**

ADJETIVO FEMENINO + **-mente**

moderadamente
excesivamente
especialmente
frecuentemente
...

2 Temas para tratar

Aquí tenéis imágenes y listas de vocabulario que os servirán para preparar las campañas. Podéis añadir otros puntos que queráis tratar recordando vuestras experiencias. También podéis inspiraros en los fragmentos de programas sobre la salud emitidos por RADIOGENTE.

DEJAR DE FUMAR

los efectos nocivos del tabaco
la tos
la nicotina
los riesgos
el cáncer
el pulmón
los problemas respiratorios
las enfermedades cardiovasculares
el corazón
los fumadores pasivos
la dependencia física y psíquica
los métodos para dejar de fumar

Las Autoridades Sanitarias advierten que el tabaco perjudica seriamente la salud

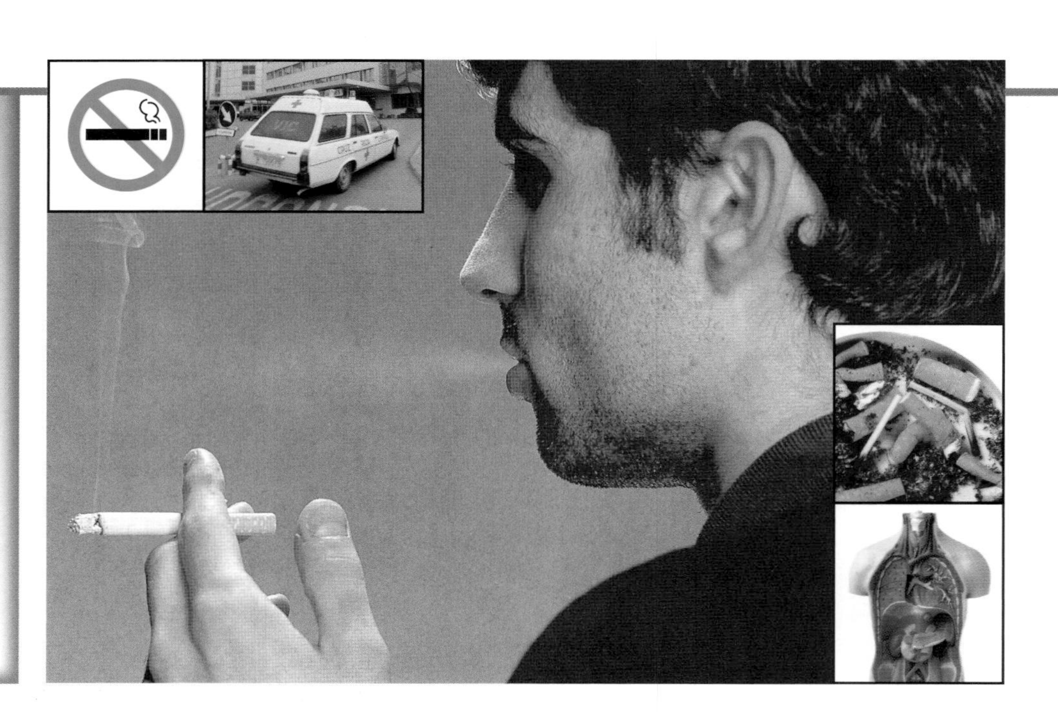

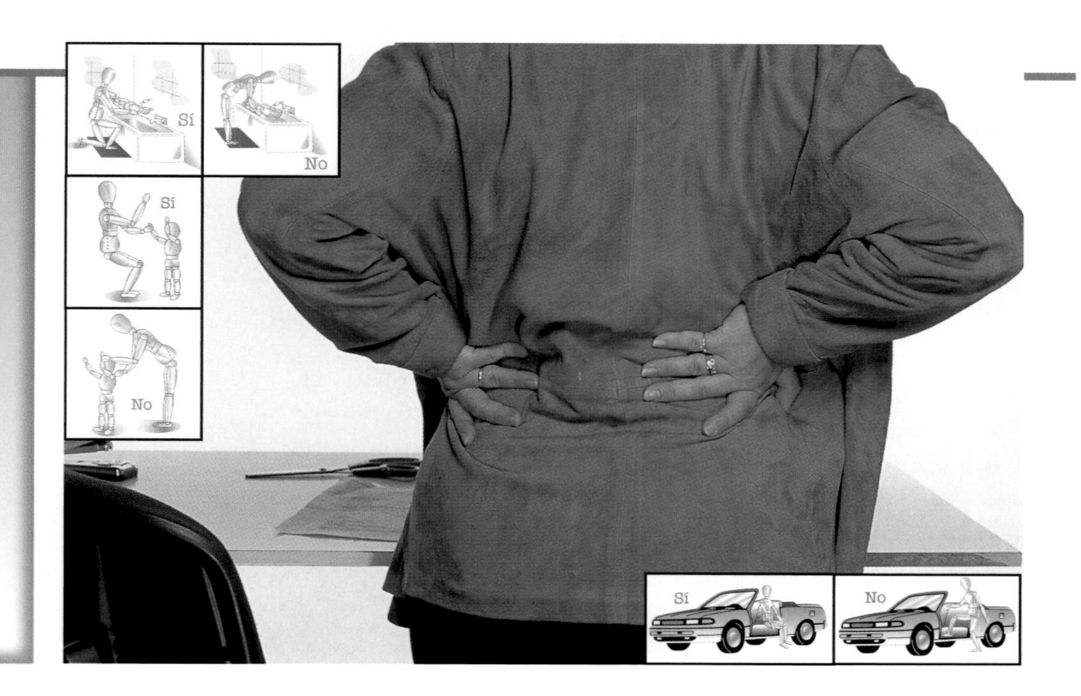

EL DOLOR DE ESPALDA
los trabajos sedentarios
el coche
trabajar con el ordenador
las posturas
agacharse
levantarse
nadar
hacer ejercicio
consultar a un especialista
levantar pesos
sentarse
llevar zapatos/ropa...
los masajes
los estiramientos
los medicamentos
cambiar nuestros hábitos

LOS ACCIDENTES DE TRÁFICO
el estado del coche: frenos, neumáticos
abrocharse el cinturón de seguridad
el casco
el mal tiempo
las señales de tráfico
la velocidad
el riesgo de accidentes
parar
los alimentos pesados
el alcohol
los síntomas de cansancio
los medicamentos: analgésicos, tranquilizantes y antihistamínicos
distraerse (hablar por teléfono, consultar un mapa, poner la radio...)

En grupos tenéis que...

- escribir una pequeña introducción de la campaña con la descripción del problema, sus causas y consecuencias principales,
- recopilar una serie de recomendaciones (qué hay que hacer y qué no se debe hacer) para combatir o evitar estos problemas sanitarios,
- inventar un eslogan para la campaña.

Cuando todo esto esté hecho, podéis presentar vuestro trabajo al resto de los compañeros en forma oral o en forma de folleto, cartel, etc.

El ajo, remedio mágico

Cada cultura tiende a atribuir propiedades mágicas a los productos que consume. Es el caso del ajo, tan importante en las cocinas de España y de América Latina.

Un diente de ajo al día ya formaba parte de la dieta de los esclavos egipcios que construyeron la gran pirámide de Keops. Viajó en los barcos fenicios, cartagineses y vikingos y se convirtió en remedio para innumerables males: para alejar vampiros, para aumentar la virilidad, o para eliminar las pecas. Unas veces ha sido talismán contra la muerte y otras simple condimento.

En nuestros días, bioquímicos norteamericanos han confirmado científicamente creencias ancestrales. La alicina, el componente más activo del ajo, es un potente antibiótico y fungicida. El ajo reduce el colesterol y es un revitalizador general. Es también un relajante del corazón, antireumático, diurético y digestivo. Limpia el aparato digestivo de parásitos, previene gripes y resfriados y tonifica la libido. Se puede afirmar, pues, que el consumo diario de ajo fresco protege contra muchas enfermedades y combate la bajada de defensas.

1 **¿Conoces tú algún remedio casero? Coméntalo con tus compañeros.**

Para el insomnio...
Para las digestiones pesadas...
Para las náuseas...
Para la tos...
Para las agujetas...
Para el dolor de cabeza...
Para el estreñimiento...
Para otros problemas...
Para la resaca...

- Si has bebido demasiado, puedes tomar café con sal y...
- Y oler amoniaco, también va bien.

2 **Este es un fragmento de un artículo de una revista que se publica en España. ¿Pasa lo mismo en tu país? ¿Qué crees que hay que hacer para tener una dieta sana?**

A nuevos gustos, nuevos hábitos

Las actuales costumbres y los gustos estéticos (todos queremos estar delgados y todos vamos con prisas) han provocado la caída en picado del pan, la pasta y las patatas. En los últimos treinta años, el consumo de estos productos se ha reducido a la mitad. La energía aportada por dichos hidratos se ha sustituido por otra proveniente de proteínas animales, cuyas grasas se acumulan estratégicamente en las zonas menos deseables y son más difíciles de eliminar. El doctor Miguel Ángel Rubio, de la unidad de Nutrición Clínica del Hospital Universitario San Carlos de Madrid, insiste en que "los cambios experimentados en la dieta de los españoles se traducen en una disminución del pan, las legumbres, las pastas, el arroz, las verduras, el aceite de oliva y el vino, aumentando los derivados lácteos, las carnes, los embutidos, los bollos, las galletas y otras grasas no deseables, como los aceites de coco y palma. Esto conduce a una mayor incidencia del colesterol y las grasas saturadas y a la disminución de la fibra, los antioxidantes y los carbohidratos". O sea que, después de exportar las bondades de la dieta mediterránea a medio mundo, los españoles adoptan los malos hábitos practicados en otros países, como la indiscriminada ingestión de grasas saturadas con la llamada "comida rápida".

Los actuales gustos estéticos de los españoles hacen disminuir el tradicional consumo de pan, pasta y patatas

17 18 19 20

Vamos a inventar objetos especiales para personas con necesidades particulares. Para ello practicaremos distintas maneras de:

- ✔ describir las características de los objetos ya existentes y de los que deseamos
- ✔ referirnos a formas, materiales, partes y usos

gente y cosas

1 ¿Con la derecha o con la izquierda?

Rellena esta encuesta: marca tus respuestas en la primera columna.

ENCUESTA	YO			MI COMPAÑERO		
	D	I	DI	D	I	DI
¿Con qué mano haces estas cosas? (D=derecha, I=izquierda, DI=ambas)						
Abrir una puerta con llave						
Tomar notas						
Cortar patatas en la cocina						
Estrechar la mano al saludar						
Peinarte						
Dibujar						
Cepillarte los dientes						
Hacer un esquema o un croquis						
Decir adiós desde lejos						
Decir basta						
Decir no						
Señalar cosas						
Coger el cuchillo						
Lanzar una pelota						
¿Qué pie pones primero en el suelo...?						
... al subir una escalera						
... al bajar del coche						
... al bajar de la bici						
... al levantarte de la cama						
Otras acciones que siempre haces de la misma forma:						
¿Qué ojo cierras para sacar una foto o mirar por la cámara de vídeo?						
¿De qué lado duermes mejor, del derecho o del izquierdo?						
¿A qué lado giras primero la cabeza para decir no?						
OTRAS COSAS...						

Hazle ahora la encuesta a tu compañero y marca sus respuestas en la segunda columna.

- ¿Con qué mano dibujas?
- Con cualquiera de las dos.

2 De manera diferente

Ahora cada pareja representa ante la clase los gestos o acciones de aquellas cosas que hacen de manera diferente. Alguien de la clase debe explicarlo en palabras.

- Judith dice "basta" con la mano derecha y Tony con la izquierda.

Si tenéis algún comentario, podéis añadirlo.

- Pues en mi país, todo el mundo dice "basta" con las dos manos a la vez.

1 Inventos para todos

Estos inventos han cambiado nuestras vidas, ¿no crees?

LOS PAÑUELOS DE PAPEL

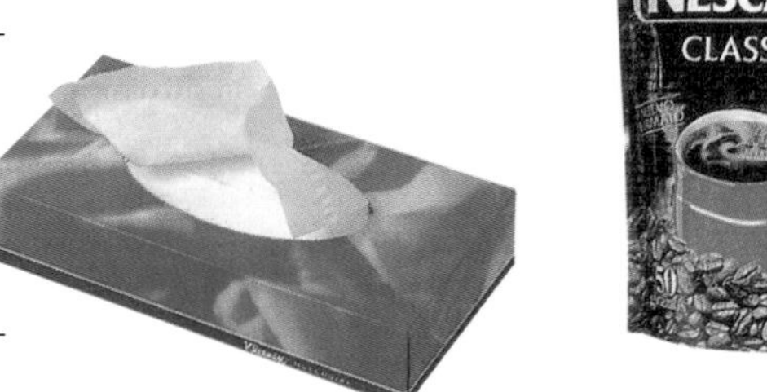

LA CREMALLERA

Desde que hay cremalleras, todo cierra mejor y más deprisa: carteras, abrigos, bolsillos, pantalones... Pero, si hay que cambiarla porque se ha estropeado, siempre resulta más fácil el botón tradicional.

EL CAFÉ INSTANTÁNEO

Hoy tenemos café para todos, a cualquier hora, en cualquier sitio y al instante, gracias a los investigadores del Instituto Brasileño del Café, que en 1938 hicieron posible su producción, llevada a cabo por la casa suiza Nestlé.

EL BOLÍGRAFO

Conocido en Argentina como "la birome", por el nombre de su inventor, el señor Biro, fue patentado y popularizado por el señor Bic.

LA MOTO

EL CHICLE

Un fotógrafo estadounidense, de nombre Thomas Adams, inventó el chicle para sustituir la costumbre de masticar tabaco. Vio que los indios usaban una planta llamada chicle, y con ella fabricó la goma de mascar.

EL TELÉFONO

¿Te imaginas tu vida sin teléfono? Bueno, ahora tal vez sí, con Internet...

LA GUITARRA ELÉCTRICA

Actividades

A **¿Cuál de los inventos que aparecen en 1 es más necesario según tu opinión? ¿Qué otras cosas añadirías a la lista de inventos que han cambiado nuestras vidas? Coméntalo con tus compañeros.**

B **¿Y los pañuelos de papel, la moto y la guitarra eléctrica? ¿En qué han cambiado nuestras vidas? Escribe los textos correspondientes.**

C **Antes de leer el texto de 2, escribe tu opinión sobre cada uno de los puntos de esta lista:**

1. Ser zurdo tiene más inconvenientes que ventajas.
2. Las personas zurdas y las diestras se diferencian también por su carácter.
3. Una buena educación familiar y escolar puede evitar que una persona sea zurda.
4. La sociedad moderna trata por igual a unos y otros.
5. La zurdera es una característica que se transmite por herencia de padres a hijos.
6. No es bueno obligar a los niños zurdos a usar siempre la mano derecha.

Ahora, comenta tu opinión con tus compañeros y luego consultad el texto del artículo para ver si dice algo al respecto.

D **Escucha las experiencias que cuentan algunas personas zurdas en 2. ¿Conoces casos semejantes?**

2 Zurdos y diestros

Aquí tienes un texto sobre los zurdos y una grabación en la que algunas personas zurdas cuentan sus experiencias.

¿Problemas para abrir una lata?

Un 10% de las personas tiene dificultades para usar un abrelatas o un sacacorchos, abrir el grifo de la ducha, tocar el violín, manejar el ratón de un ordenador o simplemente servir la sopa sin tirarla fuera del plato. Son los zurdos.

Actualmente sabemos que ser diestro o zurdo es un hecho natural, que depende de la especialización de los dos hemisferios del cerebro. Pero no siempre ha sido así; hasta fechas recientes, en España (y en otros muchos países) se consideraba bueno ser diestro y malo ser zurdo. Esta discriminación se refleja en el lenguaje: diestro significa hábil; siniestro, malvado.

Por eso, los padres y los maestros obligaban a los niños a usar la derecha: todo el mundo tenía que ser diestro. Ahora esto no ocurre y, sin embargo, la mayor parte de los aspectos prácticos de la vida aún están pensados sólo para los diestros.

Pero no todo son inconvenientes: por ejemplo, está comprobado que un tenista o un boxeador zurdos son más hábiles que sus rivales diestros; el zurdo está acostumbrado a enfrentarse a los diestros y conoce bien su comportamiento, cosa que no sucede a la inversa. También se dice que los zurdos tienen más capacidad creativa, debido al comportamiento de sus hemisferios cerebrales.

FUNCIONES DE LOS HEMISFERIOS CEREBRALES

HEMISFERIO IZQUIERDO
- La percepción de los sonidos del lenguaje.
- La expresión oral.
- La crítica y elaboración de opiniones.
- La memoria auditiva.
- La tendencia a fijarse en los detalles.
- El análisis de las letras que componen la escritura.

HEMISFERIO DERECHO
- El control de la expresión emocional.
- El lenguaje de los gestos.
- La lectura por palabras o frases enteras.
- El reconocimiento de la música.
- El baile.
- La percepción de la profundidad y el volumen.
- La percepción y el reconocimiento de las caras.

ZURDOS CÉLEBRES

Pablo R. Picasso, Charles Chaplin, Marilyn Monroe, Robert Redford, Albert Einstein, Harpo Marx, Napoleón Bonaparte, Leonardo da Vinci, Martina Navratilova, Diego A. Mararadona, Woody Allen, M. Gandhi, Carlos de Inglaterra.

Información obtenida de *El País*

1 Bingo: objetos conocidos

Jugaremos al bingo en grupos de cuatro. Uno es el director del juego y va describiendo los objetos (de qué están hechos, qué forma tienen, para qué sirven...), pero sin decir el nombre. Gana el que marca antes todas las casillas de su tarjeta.

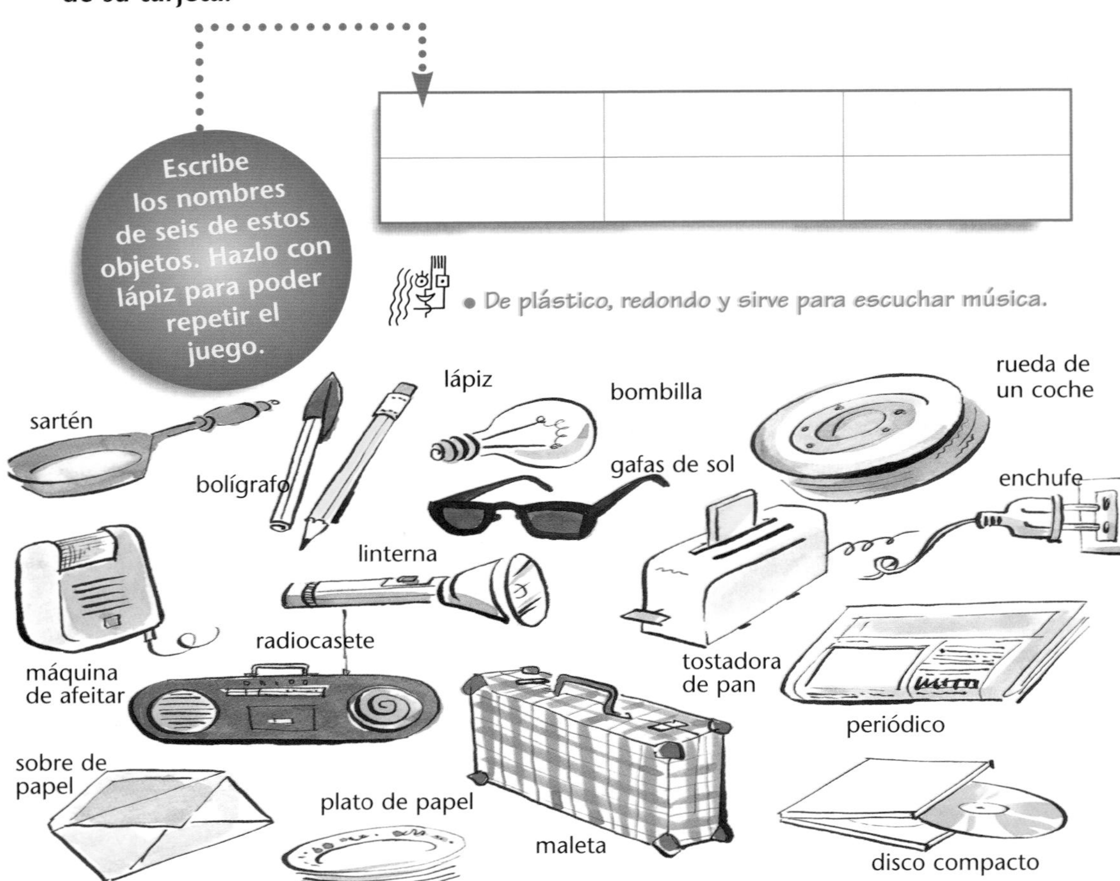

Repetimos el bingo cuatro veces, hasta que todos los miembros del grupo han actuado de directores.

2 Inventos prácticos, divertidos o imposibles

Relaciona las dos columnas con flechas e invéntate las que faltan. ¿Cuáles de estas cosas crees que son necesarias?

Una máquina	que no tenga lunes.
Un coche	que no ocupe más espacio que un libro.
Una moto	que vaya solo a hacer pis.
Un periódico	que tenga más horas por la noche.
Un libro	que no haga ruido.
Un calendario	que responda a las órdenes de la voz humana.
Un reloj	que no pueda superar los 100 Km/hora.
Un perro	que pase las páginas él solo.
Un ordenador	que...
Un teléfono	que...
Unas gafas	que...
Un...	que...

- *Yo creo que actualmente se necesita una máquina que responda a las órdenes de la voz humana.*
- *Pues yo creo que también es necesario un coche que no pueda superar los 100 Km/hora.*

CUALIDADES Y REQUISITOS

Tengo un coche...
...pequeño.
...con un maletero grande.
...que **consume** muy poco.

Busco un coche...
...pequeño.
...con un maletero grande.
...que **consuma** muy poco.

Formas

Es **alto/a** **bajo/a**
largo/a **redondo/a**
cuadrado/a **plano/a**

Material

una lámpara **de** tela
plástico
madera
cristal
papel
metal

Partes y componentes

una bolsa **con** dos asas (= que **tiene** dos asas)
una sartén **con** mango largo (= que **tiene** mango largo)

Utilidad

Sirve para cocinar.
Se usa para escribir.
Lo usan los cocineros.

Funcionamiento

Se enchufa a la corriente.
Se abre solo/a.
Va con pilas.
Funciona con gasolina.
energía solar.

Propiedades

Se puede/No se puede...
...comer.
...romper.
...utilizar para cocinar.

PRESENTE DE SUBJUNTIVO

VERBOS REGULARES

HABLAR	COMER	VIVIR
habl**e**	com**a**	viv**a**
habl**es**	com**as**	viv**as**
habl**e**	com**a**	viv**a**
habl**emos**	com**amos**	viv**amos**
habl**éis**	com**áis**	viv**áis**
habl**en**	com**an**	viv**an**

VERBOS IRREGULARES

SER	IR	PODER
sea	**vay**a	**pued**a
seas	**vay**as	**pued**as
sea	**vay**a	**pued**a
seamos	**vay**amos	**pod**amos
seáis	**vay**áis	**pod**áis
sean	**vay**an	**pued**an

HABER	**hay-**	TENER	**teng-**
PONER	**pong-**	DECIR	**dig-**
HACER	**hag-**	SALIR	**salg-**
VENIR	**veng-**	SABER	**sep-**

LO / LA / LOS / LAS

- María siempre lleva el reloj en la derecha.
- Pues hoy lo lleva en la izquierda.

SE: IMPERSONALIDAD

Lo hace todo el mundo, o no importa quién lo hace

Se dice que... **Se** usa para...

Procesos que suceden sin que intervengan las personas

Hay unas puertas que **se** abren y **se** cierran solas.
Esta planta **se** ha secado.
Los vasos de cristal **se** rompen muy fácilmente.

SE ME/TE...: INVOLUNTARIEDAD

Se me ha caído al suelo y **se me** ha roto. (= Lo he tirado al suelo y lo he roto sin querer.)

- Huele mal, ¿**se te** ha quemado algo?
- No, **se me** ha estropeado la cafetera.

3 ¿De qué están hablando?

Escucha a estas personas que juegan a adivinar objetos. Señala cuál de ellos crees que describen en cada caso.

4 ¿El reloj lo lleva en la izquierda?

Todas llevan las mismas cosas, pero cada una es diferente.

En grupos de cuatro: uno de vosotros elige mentalmente una de estas mujeres, y los otros tres deben averiguar cuál es. Tienen que hacerle preguntas, por turnos. Sólo puedes proponer la solución después de oír la respuesta a tu pregunta.

- ¿El reloj lo lleva en la izquierda?
- Sí.
- ¿El sombrero lo lleva en la mano derecha?
- Sí.
- ¿Las gafas las lleva en el bolsillo izquierdo?
- No.
- ¿El billete lo ha comprado en Gentiviajes?
- Sí.
- ¿Es...

1 El mundo que viene
¿A cuál de estas tres cosas corresponden las siguientes descripciones?

- ❑ habitaciones inteligentes
- ❑ libros electrónicos
- ❑ objetos sensibles

A HAL YA ESTÁ AQUÍ

HAL oye, ve, habla y ejecuta. Por algo se llama igual que la computadora de la película *2001: una odisea en el espacio*. En sus paredes, dos enormes pantallas de cristal líquido hacen de monitores de un gran cerebro informático, capaz de entender gestos y palabras. Basta pedirle "Muéstrame un mapamundi", y aparece uno iluminado en una de las pantallas; si luego señalamos un país del mapa y preguntamos "¿Qué tiempo hace aquí?", HAL nos da la previsión meteorológica para la zona. También puede hacernos sugerencias: "¿Te apetece escuchar a Mozart?", y si respondemos con un gesto afirmativo, la pantalla nos presentará una selección para que elijamos. Hasta puede hacer de vigilante: "Aquí ha entrado alguien y ha mirado en tus papeles."

B ¿ADIÓS A GUTENBERG?

"Si hubieran aparecido antes que los ordenadores portátiles, diríamos que son un gran avance", opina N. Gershenfeld, del MIT (Massachussets Institute of Technology). Se pueden llevar a cualquier parte, abrir por cualquier página, llenar de letras, colores, dibujos, etc. ¿Por qué prescindir de ellos? En el MIT intentan hacerlos aún mejores gracias a un papel especial sobre el que se escribe con una especie de tinta electrónica; su ventaja principal es que la tinta se puede borrar tantas veces como se quiera, de forma que el mismo papel podría servir de soporte, por ejemplo, a las noticias que los periódicos digitales sirven cada día en Internet; bastaría con conectar el "papel" a la red y descargar en él las noticias.

C LA TAZA PIDE MÁS CAFÉ

Si el café se ha enfriado, la taza lo nota gracias a un sensor que lleva incorporado y, a través de un transmisor, se lo comunica a la cafetera, que automáticamente se pone a hacer más café. Si la carne ya está en su punto, el horno deja de producir calor. Si en la estantería falta un libro, ella recuerda quién se lo ha llevado de allí...

(Información obtenida de *El País*)

2 Equipo para zurdos
Observa todos estos objetos. Algunos están diseñados especialmente para zurdos. ¿Cuáles son? ¿Para qué sirven? ¿Qué tienen de especial?

3 Concurso de ideas: equipo especial para...
Escucha este programa de radio. Después, elige uno de los dos grupos de personas de los que se habla. Busca a otros compañeros que hayan elegido el mismo grupo. Juntos inventaréis un equipo útil de objetos para esas personas. En la lista de abajo podéis encontrar objetos e ideas. Añadid otras cosas que vosotros imaginéis.

Un estuche de lápices de colores que llevan escrito el nombre del color.

Un juego de parchís que sustituye los cuatro colores por rayas de distintas formas.

Una cerradura que avisa cuando la puerta de casa queda abierta.

Unas gafas que leen los colores y los traducen a otros sistemas: rayas, puntos...

Un llavero que responde con el eco cuando lo llamas.

Una agenda que llama a su dueño media hora antes de cada cita.

OS SERÁ ÚTIL...

Es una máquina para...
Es una herramienta que sirve para...
Es un aparato con el que se puede...

Ahora explicáis a la clase lo que contiene vuestro equipo. El resto de compañeros tiene que adivinar para quién es.

- En nuestro equipo hay: un semáforo con una forma geométrica distinta para cada color. Y un parchís... y...

Ahora podéis inventar objetos para otros grupos: los muy bajitos, los niños, los tímidos, los alérgicos a algo, etc.

GREGUERÍAS Y POEMAS-OBJETO

Las "greguerías" las inventó el escritor español Ramón Gómez de la Serna. Con ellas habla de distintas cosas conjugando el humor, la fantasía y la poesía. Por ejemplo: "A la luna sólo le falta tener marco."

Los poemas-objeto, por su parte, son creación del artista catalán Joan Brossa. En ellas, la fantasía y la poesía se unen a la imagen y muchas veces a la crítica social.

Greguerías — **Ramón Gómez de la Serna**

Las serpientes son las corbatas de los árboles.

. . .

Debía de haber unos gemelos de oler para percibir el perfume de los jardines lejanos.

. . .

Las máquinas fotográficas quieren ser acordeones, y los acordeones, máquinas fotográficas.

. . .

Las gaviotas nacieron de los pañuelos que dicen ¡adiós! en los puertos.

. . .

La jirafa es un caballo alargado por la curiosidad.

. . .

Los ceros son los huevos de los que salieron las demás cifras.

El cerebro es un paquete de ideas arrugadas que llevamos en la cabeza.

. . .

Tan pequeño era el tiempo en su reloj de pulsera que nunca tenía tiempo para nada.

. . .

Psicoanalista: sacacorchos del inconsciente.

. . .

El Coliseo en ruinas es como una taza rota del desayuno de los siglos.

. . .

La ametralladora suena a máquina de escribir de la muerte.

. . .

En los hilos del telégrafo quedan, cuando llueve, unas lágrimas que ponen tristes los telegramas.

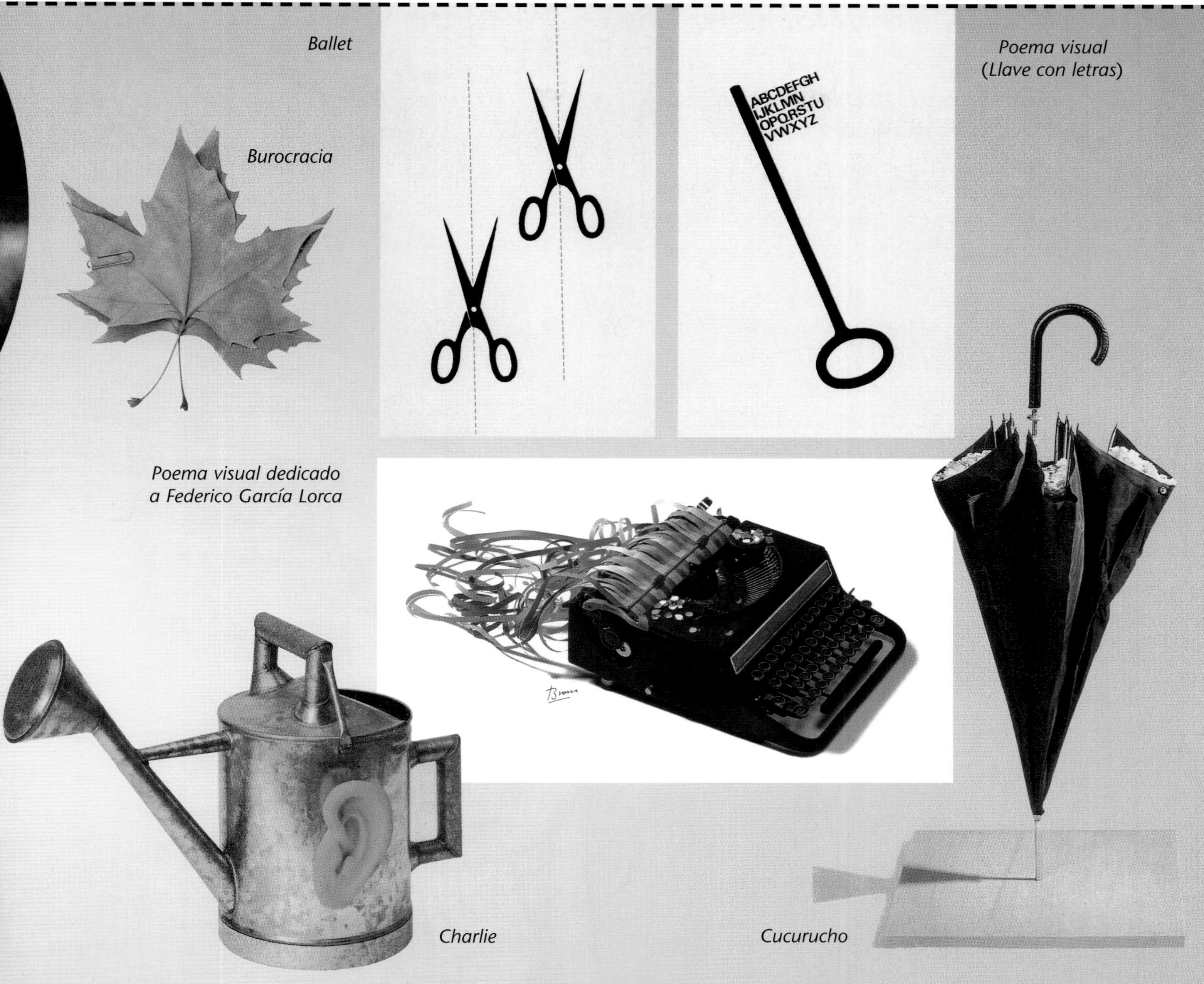

Ballet

Burocracia

Poema visual (Llave con letras)

Poema visual dedicado a Federico García Lorca

Charlie

Cucurucho

1 **¿Qué te dice la greguería de la luna? Y, de las otras, ¿cuál te gusta más? ¿Por qué?**

2 **Ahora intenta reconstruir estas cinco greguerías combinando un elemento de cada columna.**

El libro	es el dolor de cabeza	en las cascadas.
La ardilla	se suelta el pelo	en los pies.
El etc., etc., etc.	es el salvavidas	que se ha independizado.
El agua	es la trenza	de la soledad.
El reuma	es la cola	de lo escrito.

3 **¿Cómo interpretas los poemas-objeto de Joan Brossa? ¿Qué te sugieren?**

En esta secuencia investigaremos un caso muy misterioso. Para ello tendremos que:

- ✔ leer y escuchar textos en forma de relato
- ✔ referirnos al pasado, informando sobre sucesos y circunstancias

gente de novela

1 ¿Dónde estaba usted ayer a las dos en punto?

Tener buenas coartadas no es fácil. Mira qué difícil es responder a la pregunta "**¿Dónde estaba usted?**". En el cuadro de abajo tienes algunas respuestas.

- Yo, el 25 de diciembre, a esa hora, estaba en casa de mis suegros, comiendo con toda la familia.
- Yo estaba de vacaciones en Tenerife, con mi novia. A esa hora estaba en la playa, supongo.

¿DÓNDE ESTABA USTED...?

... el domingo pasado a las 4h de la tarde
... el día 25 de diciembre a las 18h
... el día de su cumpleaños a las 12h de la noche
... ayer a las 7.30h de la mañana
... el pasado día 15 a las 20h
... el 1 de enero de 1997 a las 15h
... anoche, a las 23.30h

YO ESTABA...

viendo la tele
estudiando
descansando
durmiendo
trabajando
jugando con los niños
...

en Cuba
de vacaciones en...
viajando por...
...

con unos amigos
con mi mujer/marido
compañero/compañera
con un primo mío
...

en casa
en el trabajo
en casa de unos amigos
en el cine
en un restaurante
...

Me parece que...
(Pues) no me acuerdo.
..., supongo.

1 Hotel Florida Park
¿Quién dijo qué?

- Dejé de fumar el mes pasado.
- Tuve un accidente de coche la semana pasada. Por suerte, no muy grave.
- Ayer vine con dos de mis hombres a Palma a una reunión de negocios.
- Sí, ayer gané.
- El año pasado estuve varias veces en este hotel. Cada año vengo a Mallorca en verano y hago entrevistas a los ricos y famosos que pasan sus vacaciones aquí.
- Me quedé viuda el mes pasado.
- Yo viajo mucho. El mes pasado, por ejemplo, estuve en París, en Londres y en El Cairo.
- Ayer llevé en coche a Laura al club de tenis.
- Ayer llegó un grupo muy grande de turistas y hoy tenemos mucho trabajo.
- Ayer tuve un desfile de moda y hoy tengo una sesión de fotos en Sóller.
- Anteayer me llamó el jefe y me dijo que tenía un trabajo para mí, algo fácil y limpio.

Contexto

El martes 13 de abril a las 16h todo parecía normal en el Hotel Florida Park de Palma de Mallorca. Pero, aquella misma noche, unas horas después, sucedió algo muy extraño: una famosa "top model" desapareció de forma misteriosa. Observando y escuchando, podemos averiguar muchas cosas sobre los clientes del hotel.

Hotel Florida Park, martes 13 de abril a las 16h.

2 Misterio en el Florida Park: noticias y llamadas telefónicas

EL PLANETA

Miércoles 14 de abril

Misteriosa desaparición de la "top model" Cristina Rico en un lujoso hotel de Palma de Mallorca

Palma de Mallorca / EL PLANETA

Según fuentes bien informadas, la policía no dispone todavía de ninguna pista ni ha realizado ninguna detención. El inspector Palomares, responsable del caso, ha declarado que piensa interrogar a clientes y personal del hotel, en busca de alguna pista que aclare el paradero de la modelo.

A la 1h de esta madrugada pasada, el chófer y guardaespaldas de Cristina Rico, Valerio Pujante, avisó a la policía de la misteriosa desaparición de la famosísima "top model" española. Valerio Pujante, de nacionalidad chilena, la estuvo esperando en la recepción del hotel donde ésta se alojaba. La modelo le había dicho que iba a cenar con un amigo, por lo que iba a salir del hotel sobre las 22.30h. A las 23.30h, extrañado ante el retraso de Cristina, la llamó desde recepción pero no obtuvo respuesta. En ese momento decidió avisar a la dirección del hotel y, tras comprobar que no se encontraba en la habitación, el director comunicó la extraña desaparición a la policía.

Últimamente Cristina Rico se ha convertido en una de las más cotizadas modelos españolas. El mes pasado firmó un contrato millonario con la firma de cosméticos "Bellísima". También ha sido noticia en los últimos meses por su relación con Santiago Puértolas, banquero y propietario de varias revistas del corazón. El conocido hombre de negocios también se encontraba en el mencionado hotel la noche de la desaparición.

La agente de la modelo, Sonia Vito, ha declarado a este periódico: "Es muy extraño. Todo el mundo la quiere. Estamos muy preocupados."

También se aloja en el hotel la tenista Laura Toledo, íntima amiga de la modelo, que disputa estos días el Trofeo Ciudad de Palma de Mallorca, acompañada por su novio y entrenador, el peruano Carlos Rosales. Laura Toledo ha declarado estar consternada y no encontrar ninguna explicación a la misteriosa desaparición de su amiga. Probablemente fue la tenista quien vio por última vez a Cristina, ya que estuvo con ella hasta las 22h en su habitación.

La popular Clara Blanchart, periodista de la revista *15 segundos*, ha comentado que la noche de la desaparición también fue visto en el hotel el conocido hombre de negocios Enrique Ramírez, que fuentes bien informadas vinculan a una mafia que actúa en las Islas Baleares.

La modelo Cristina Rico

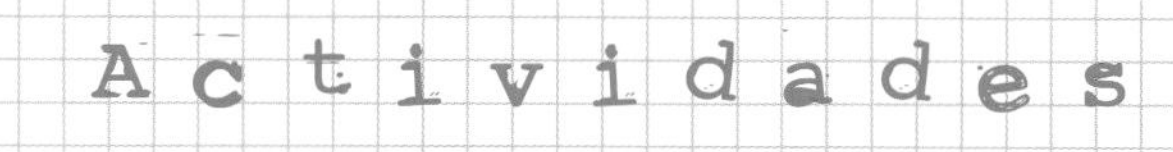

A Observa muy bien los 11 personajes que están en el vestíbulo del hotel y lee las 11 frases del cuadro. El primero que sepa qué personaje dijo cada frase gana un punto.

- "Dejé de fumar el mes pasado."
- Eso lo dijo Valerio Pujante. Mira cómo está oliendo el humo del cigarrillo en la imagen.

B Fíjate en los verbos de las 11 frases, que están en Pretérito Indefinido. Haz una lista y busca a qué infinitivos corresponden. Haz también una lista de las expresiones temporales.

dejé → dejar

C Busca en la imagen a los personajes que se mencionan en el artículo de *El Planeta*. Muchos tienen alguna relación con la modelo desaparecida. Anótalo. Va a tener importancia para tu investigación.

Valerio Pujante: chófer y guardaespaldas de Cristina.

D Escucha las conversaciones telefónicas de 2. ¿Quiénes crees que hablan? Todos están en la imagen y en el artículo de *El Planeta* se habla de todos menos de uno. Completa el cuadro con tus hipótesis.

Pueden ser...
CONVERSACIÓN 1 ____________
CONVERSACIÓN 2 ____________
CONVERSACIÓN 3 ____________

Me parece que hablan de...
CONVERSACIÓN 1 ____________
CONVERSACIÓN 2 ____________
CONVERSACIÓN 3 ____________

1 Aquella noche...

Con un compañero, rehaz el texto con las frases en Imperfecto y Pluscuamperfecto de abajo. A lo mejor necesitáis añadir conectores (y, pero, entonces, así que...).

estaba cansado y

Aquella noche el inspector Palomares se acostó temprano, sobre las 10h. Pero a las 6h de la mañana sonó el teléfono. Como siempre: una llamada urgente de la comisaría. Salió inmediatamente a la calle y buscó su viejo coche.

A las 6.30h llegó al Hotel Florida Park. El director, Cayetano Láinez, le recibió. Palomares fue directo al grano:

-¿Sospecha de alguien?-preguntó Palomares.

-No -respondió el director-, en absoluto.

-¿Alguien vio algo raro anoche? ¿Hay testigos?

-No... Bueno, creo que no... Fue una noche normal. Llegaron nuevos clientes, hubo bastante gente en el restaurante... Tuvimos mucho trabajo. Pero todo fue normal hasta las 24h, cuando el chófer vino a verme y a explicarme lo de la desaparición.

-¿A qué hora fue exactamente?

-A la doce menos cuarto, creo recordar...

-Muy bien. Quiero interrogar a todo el personal.

-¿A todos?

-Sí, a todos.

Estaba cansado.
Le dolía la cabeza.
Hacía buen tiempo.
Estaba muy nervioso.
Era su jefe.
Estaba cerca.
Ya había salido el sol.

Había una fiesta.
Había tomado demasiado whisky.
No había dormido casi nada.
Había tenido un día difícil.
No había nadie.
Había llegado un grupo de turistas italianos.

Ahora intentad añadir estas expresiones temporales.

enseguida · a aquella hora · la noche anterior · al cabo de un rato · el día anterior · media hora después · en aquel momento · inmediatamente

PLUSCUAMPERFECTO E IMPERFECTO

Ambos tiempos pueden servir para evocar circunstancias que sitúan o explican un acontecimiento.

El Pluscuamperfecto hace referencia a circunstancias anteriores.

*La noche anterior **había dormido** poco y se acostó pronto.*

*Cuando se levantó, ya **había salido** el sol.*

había		
habías		**estado**
había	+	**ido**
habíamos		**dicho**
habíais		
habían		

El Imperfecto hace referencia a circunstancias simultáneas.

***Estaba** cansado y se acostó pronto.*
*Cuando se levantó, **hacía** sol.*

SITUAR EN EL TIEMPO

Momento mencionado
en aquel momento
aquel día
a aquella hora

Momento anterior
un rato / dos horas / unos días } antes

la noche anterior
el día anterior

Momento posterior
al cabo de un rato

una hora / unos días / unos minutos } después / más tarde

el día siguiente

Momentos consecutivos
enseguida
inmediatamente

SABER, RECORDAR, SUPONER

● ¿Dónde estaba a aquella hora?
○ Estaba en casa.
En casa, supongo.
creo.
me parece.

No me acuerdo (de dónde estaba).
No tengo ni idea.

● ¿Está seguro/a de que estaba en casa?
○ Sí, (estoy) seguro/a.
segurísimo/a.
Sí, creo que sí.

HORAS APROXIMADAS

sobre las 10h
a las 10h, aproximadamente
a las 10h más o menos

Serían las 10h.

PREGUNTAS

¿Qué hizo anoche?
¿Dónde estuvo anoche?
¿A dónde fue anoche?
¿Cuándo llegó al hotel?
¿A qué hora se despertó?
¿Con quién estuvo anoche?

2 ¿Qué hizo Cristina el martes?
El inspector Palomares está investigando qué hizo el martes 13 la "top model" secuestrada. En la habitación de la modelo ha encontrado estas pistas. ¿Podéis ayudarle? A ver quién escribe más frases (afirmativas o negativas) utilizando el Indefinido.

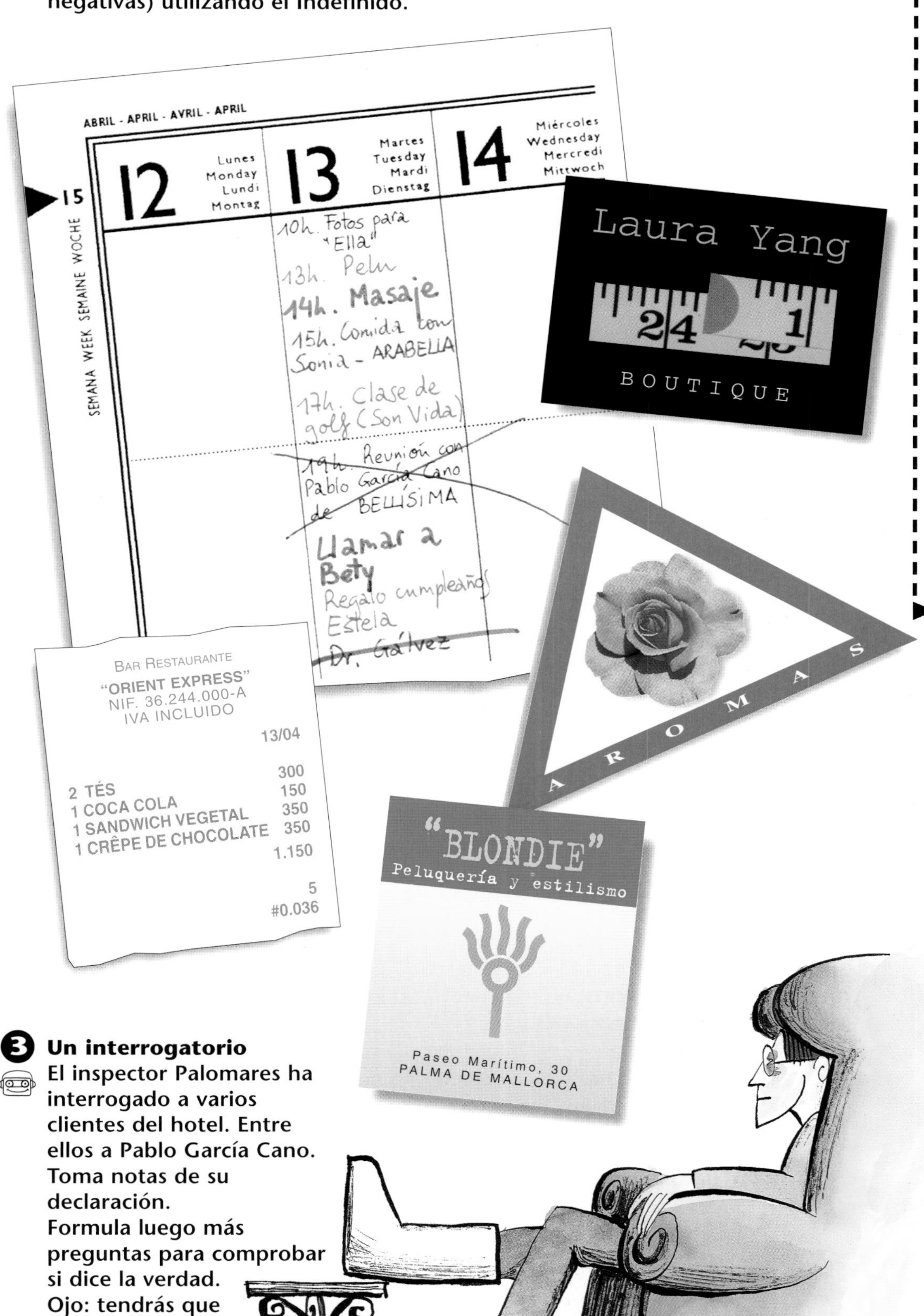

3 Un interrogatorio
El inspector Palomares ha interrogado a varios clientes del hotel. Entre ellos a Pablo García Cano. Toma notas de su declaración. Formula luego más preguntas para comprobar si dice la verdad. Ojo: tendrás que elegir entre Imperfecto e Indefinido.

1 **¿Qué hicieron aquella noche? ¿Tienen buenas coartadas?**

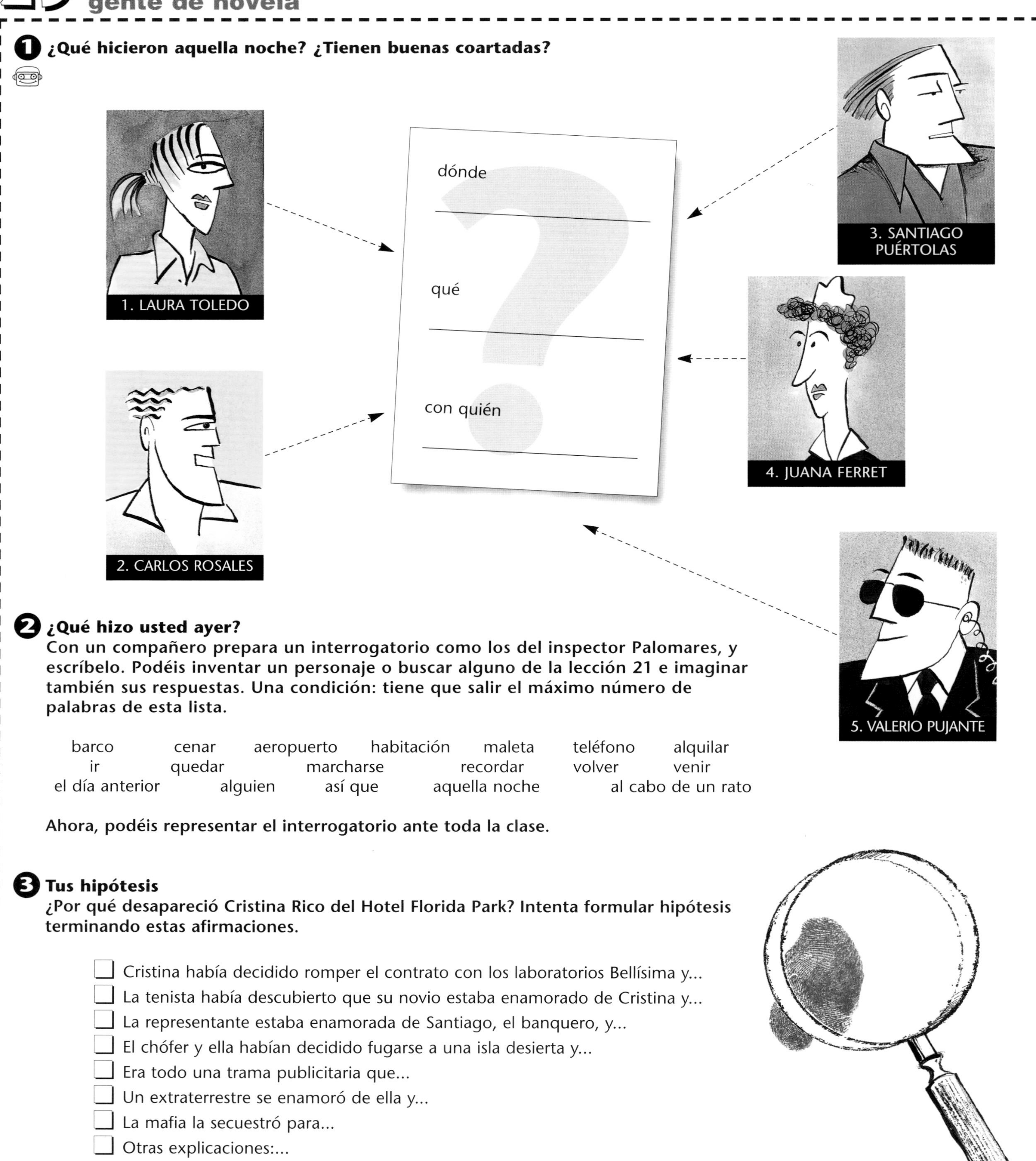

2 **¿Qué hizo usted ayer?**
Con un compañero prepara un interrogatorio como los del inspector Palomares, y escríbelo. Podéis inventar un personaje o buscar alguno de la lección 21 e imaginar también sus respuestas. Una condición: tiene que salir el máximo número de palabras de esta lista.

barco · cenar · aeropuerto · habitación · maleta · teléfono · alquilar
ir · quedar · marcharse · recordar · volver · venir
el día anterior · alguien · así que · aquella noche · al cabo de un rato

Ahora, podéis representar el interrogatorio ante toda la clase.

3 **Tus hipótesis**
¿Por qué desapareció Cristina Rico del Hotel Florida Park? Intenta formular hipótesis terminando estas afirmaciones.

- ☐ Cristina había decidido romper el contrato con los laboratorios Bellísima y...
- ☐ La tenista había descubierto que su novio estaba enamorado de Cristina y...
- ☐ La representante estaba enamorada de Santiago, el banquero, y...
- ☐ El chófer y ella habían decidido fugarse a una isla desierta y...
- ☐ Era todo una trama publicitaria que...
- ☐ Un extraterrestre se enamoró de ella y...
- ☐ La mafia la secuestró para...
- ☐ Otras explicaciones:...

¿Cuáles de las posibles explicaciones te parecen mejor, más lógicas en relación con lo que sabemos de la historia? Señálalo.

OS SERÁ ÚTIL...

A mí me parece que ZZZ es...

No puede ser porque...

Aquí dice que...

Fue WWW quién la llevó...
la esperó...
pagó...
vio...

Fíjate en que UUU es una mujer.

No sé quién es GGG.

4 Las hipótesis de Palomares

Lee las notas que ha escrito el inspector Palomares en su cuaderno. Pero verás que el inspector no ha escrito los nombres de los implicados. Discute con varios compañeros qué personaje corresponde a cada letra.

Creo que ya lo tengo todo claro.

No la secuestró nadie el martes 13 en el hotel. Estoy seguro de que todo fue un montaje, y creo que puedo demostrarlo.

Había muchos interesados en su desaparición. Ella misma, por ejemplo. He averiguado que estaba enamorada de ZZZ. Los dos habían comprado, la semana anterior, billetes para las Islas Bahamas. Harta del mundo de la moda, había comentado a un amigo que se sentía muy deprimida y que quería cambiar de vida.

También me he enterado de que el martes por la mañana Cristina se reunió con YYY en un céntrico despacho de Palma. YYY, que está vinculada profesionalmente a XXX, le entregó a Cristina 10 millones en efectivo. ZZZ los llevó al banco y los transfirió a una cuenta suiza. Creo que Cristina ha firmado un contrato con XXX. ¿Un libro de memorias? ¿Un reportaje muy especial para la revista de XXX sobre la desaparición? Todavía no tengo pruebas.

A XXX también le interesaba por otras razones la desaparición de Cristina. Durante las últimas semanas se ha rumoreado que estaba saliendo con Cristina, y parece ser que su mujer le ha pedido el divorcio y muchísimo dinero. Además ahora él sale con YYY.

También colaboró WWW. A WWW no le gustaban mucho las relaciones de su novio RRR con su amiga. WWW no estuvo con Cristina en su habitación la noche de la desaparición como declaró. Pero sí que estuvo con ella en otro sitio. La acompañó al puerto, en su coche. Allí las esperaban, en un barco de vela, los hombres de VVV. Son profesionales. Los conozco muy bien.

¿Cómo salió del hotel? ¿Nadie la vio? Sí, yo tengo un testigo: UUU vio como otra camarera del hotel conducía a la modelo, vestida muy elegante, a la lavandería por un pasillo del servicio. Cristina fue trasladada dentro de una cesta de ropa a un coche por DDD, un hombre de VVV, disfrazado también con el uniforme del hotel. El coche lo conducía WWW. A las 23.30h la llevó al puerto y volvió al hotel.

Sospecho que GGG también tuvo alguna relación con la desaparición. La marca "Bellísima" está pasando un mal momento. Todo el mundo lo sabe. El caso Rico es una excelente publicidad. ¡Publicidad gratis conseguida por GGG para su marca!

Un muy buen plan, pero no perfecto...

5 Otra historia

Ahora, en grupo, con los datos y personajes que tenemos, y otros que podéis añadir, inventad otra hipótesis u otra historia.

PEPE CARVALHO, MÁS QUE UN DETECTIVE

Fue miembro del Partido Comunista y agente de la CIA, vive en las colinas que rodean Barcelona, y trabaja en el Barrio Chino, al lado de las Ramblas. Es un gran gourmet, le gusta cocinar y quema libros para encender su chimenea. Sus mejores interlocutores son un limpiabotas, un expresidiario y una prostituta. Viajó a Bangkok, se metió en los laberintos del deporte profesional y de los premios literarios, participó en las crisis del Partido Comunista, en las Olimpiadas de Barcelona y en la búsqueda de un exdirector corrupto de la Guardia Civil. Trabajó en los bajos fondos y para la alta burguesía. Investigó los entresijos de los medios de comunicación y de la guerra sucia argentina, entre otras muchas aventuras. Hace años que es uno de los personajes más populares de la literatura española y el protagonista de la serie más traducida a otras lenguas.

Y es que Carvalho, ese detective tan atípico, es más que un personaje de serie negra. Y sus historias son mucho más que simples tramas policíacas. Se trata de una lúcida y compleja crónica de la sociedad española y de su transformación. Su creador, Manuel Vázquez Montalbán, siempre comprometido con la realidad que le rodea, la ha ido construyendo durante más de dos décadas: las historias de Pepe Carvalho (*Tatuaje, La soledad del manager, Los mares del sur, Asesinato en el Comité Central, Los pájaros de Bangkok, El delantero centro fue asesinado al atardecer, La rosa de Alejandría, Quinteto de Buenos Aires,...*) son libros indispensables para todos aquellos que quieran conocer y entender la España contemporánea.

M.Vázquez Montalbán es, además de novelista, poeta, ensayista y periodista.

—Soy bastante buen cocinero.
—Y lector.
—Apenas si ojeo los libros, sin hache. Hojearlos, con hache, representaría un esfuerzo excesivo. Me gusta guardarlos y quemarlos.

(*Quinteto de Buenos Aires*)

—¿No eres policía?
—Detective privado.
—¿No es lo mismo?
—La policía garantiza el orden. Yo me limito a descubrir el desorden.

(*Quinteto de Buenos Aires*)

Luego empezó a (...) moverse entre materias concretas en busca de la magia de la transformación de los sofritos y las carnes, esa magia que convierte al cocinero en ceramista, en brujo que gracias al fuego consigue convertir la materia en sensación. (...) Telefoneó al gestor Fuster, su vecino.
—Me pillas en la puerta. ¿Es por lo de los impuestos?
—Ni por asomo. Te invito a cenar.
—Pues piensa en los impuestos. Te cae el segundo plazo el mes que viene. Menú.
—Pimientos rellenos de marisco. Espalda de cordero rellena. Leche frita.
—Demasiado relleno, pero no está mal. Iré.

(*El delantero centro fue asesinado al atardecer*, texto adaptado)

1 Tras leer los tres fragmentos, ¿cómo imaginas que es Carvalho? Y en la literatura de tu país, ¿existe algún personaje de novela tan popular? ¿Cuál es? ¿Se parece a Carvalho?

2 ¿Has leído recientemente alguna novela? Si recuerdas el argumento, resúmelo brevemente para tus compañeros. Prepáralo primero por escrito. Fíjate en que el argumento de los libros se explica en Presente.

- *Trata de un chico que un día conoce a una chica en un parque y...*

Vamos a crear una empresa y a diseñar un anuncio para la televisión. Para ello practicaremos formas de:

- ✔ valorar propuestas y sugerencias
- ✔ argumentar sobre las ventajas o inconvenientes

1 En apuros

¿Te has encontrado alguna vez en una situación como las de la imagen?

Necesitaba... No tenía... Quería comprar... Tenía invitados ...	y	no había nada en el frigorífico todo estaba cerrado hacía mucho frío ...

- Una vez, era de noche, necesitaba un medicamento y no podía salir de casa...
- ¿Y qué hiciste? ¿Saliste a la calle?
- No, llamé a unos amigos.

2 GENTE A PUNTO: la solución a sus emergencias

Traza tu itinerario en este anuncio interactivo.

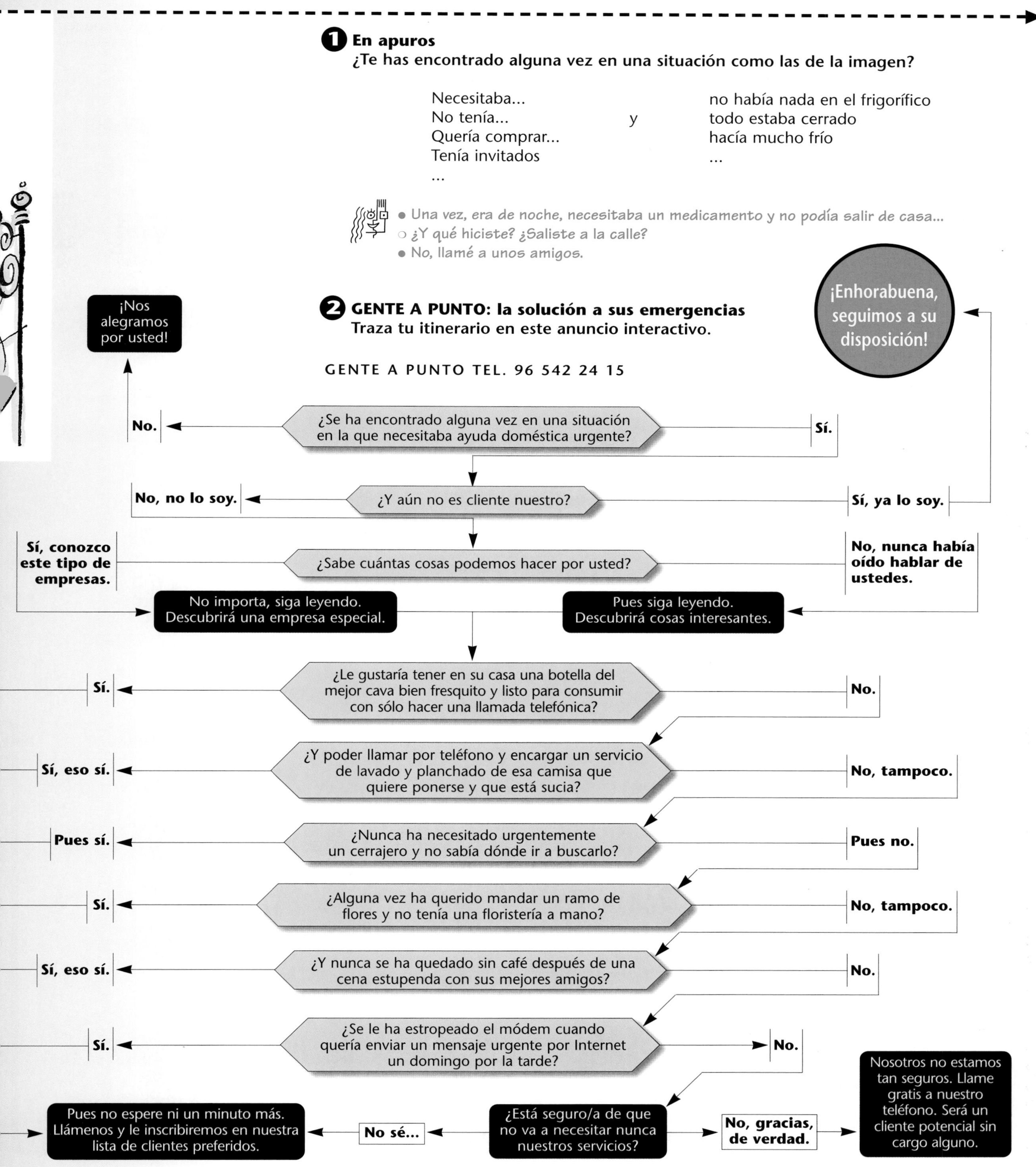

1 ¿Te interesa este anuncio?

Contexto

La empresa GENTE A PUNTO ofrece muchos servicios a domicilio. Ahora está haciendo una campaña publicitaria mediante anuncios en la radio y buzoneo. Tú has oído uno de los anuncios y en el buzón de tu casa has encontrado estos folletos.

GENTE A PUNTO

SERVICIO A DOMICILIO
24 HORAS

Todo lo que necesite a cualquier hora del día

LLÁMENOS, realice su pedido de cualquier producto o servicio, y en breve lo recibirá en su domicilio.

GENTE A PUNTO le pone las cosas fáciles.

☎ 96 542 24 15

GENTE A PUNTO,
le pone las cosas fáciles

Distinguido/a vecino/a:

Hace ya más de dos años que trabajamos en la ciudad intentando prestar un servicio ágil y efectivo.

Probablemente usted ya ha oído hablar de nosotros. Incluso puede que sea uno de nuestros clientes.

Con el fin de mejorar nuestros servicios, queremos saber la opinión de nuestros clientes actuales y futuros. Por eso, hemos elaborado esta encuesta, que pasaremos a recoger por su domicilio dentro de unos días.

Muchas gracias por su amable colaboración.

Actividades

A Responde individualmente a la encuesta de la derecha.

- Ahora formad grupos de cuatro. ¿Cuáles de los servicios de la empresa GENTE A PUNTO os interesan más? ¿Cuáles menos?
- Después, todos los grupos juntos, comprobad cuáles son los servicios que tienen más demanda en la clase.

B Escucha el anuncio radiofónico: ¿en qué consisten los nuevos servicios que ofrece GENTE A PUNTO?

C Cuatro personas llaman a GENTE A PUNTO. Marca en la encuesta los servicios que solicitan en cada caso.

2 Servicios solicitados

Cuatro personas llama a la empresa GENTE A PUNTO para encargar distintas cosas.

Marque, por favor, con una X aquellos servicios que ya ha solicitado alguna vez, o que cree que puede necesitar. ¿Desearía añadir algún otro? Escríbalo en el espacio que le dejamos para sugerencias.

ALIMENTACIÓN

❑ PANADERÍA ✹☾
Pan, bollería, tartas...

❑ POLLERÍA ✹
Pollos, conejos, carne de avestruz...

❑ CHARCUTERÍA ✹
Jamón dulce, quesos, salmón...

❑ BODEGA ✹☾
Cava, vinos, licores...

❑ SUPERMERCADO ✹☾
Alimentación, productos de limpieza...

❑ POLLOS ASADOS ✹☾

RESTAURACIÓN

❑ RESTAURANTE TRADICIONAL ✹
Paella, fideuá, brandada de bacalao...

❑ RESTAURANTE CHINO ✹
Pollo al curry, rollitos de primavera...

❑ RESTAURANTE ITALIANO ✹
Pizzas, pasta al pesto, ensaladas...

❑ RESTAURANTE MEXICANO ✹
Tacos, nachos...

❑ SERVICIO DE BOCADILLOS ✹
Fríos, calientes...

OCIO

❑ VIDEO CLUB ✹☾
Últimas novedades, clásicos...

❑ AGENCIA DE VIAJES ✹

ANIMALES & PLANTAS

❑ FLORISTERÍA ✹☾
Flores naturales, centros, plantas...

❑ CUIDADO DE ANIMALES ✹☾

HOGAR & EMPRESAS

❑ ELECTRICISTA ✹☾
Averías de urgencia...

❑ CERRAJERO ✹☾
Cerrajería, aperturas...

❑ LIMPIEZA ✹
Del hogar, empresas...

❑ SEGUROS ✹

❑ INFORMÁTICA ✹
Ordenadores, programas, juegos...

❑ MUDANZAS ✹
Guardamuebles

❑ INMOBILIARIA ✹
Alquiler y venta de pisos, chalets...

❑ SECRETARIADO TELEFÓNICO ✹☾
Recogida de mensajes, traducciones, alquiler de salones...

❑ AGENCIA DE PUBLICIDAD ✹

❑ ASESORÍA FISCAL ✹
Asesoría personal, empresarial...

❑ SELECCIÓN DE PERSONAL ✹
Canguros, personal doméstico...

❑ MENSAJERÍA ✹

❑ ESCUELA DE INFORMÁTICA ✹
Cursos extensivos e intensivos

VARIOS

❑ ESTANCO ✹☾
Tabaco, sellos...

❑ SERVICIO DE DESPERTADOR ✹☾

❑ FELICITACIÓN PERSONAL ✹☾
A domicilio, por teléfono...

❑ MASAJISTA ✹
Deportivo, estético, dolencias...

❑ CARRETES FOTOGRÁFICOS ✹☾
Recogida y entrega en 24 horas

SUGERENCIAS

....
....
....
....
....
....
....

¿CÓMO FUNCIONA GENTE A PUNTO?

SERVICIO DE DÍA ✹

De 7 a 24h. Tel.: 96 542 24 15

Si desea cualquier cosa durante el día –un paquete de tabaco, una paella, unos bocadillos, una botella de cava o que le llevemos su traje a la tintorería–, no tiene más que llamar al 96 542 24 15 o bien al establecimiento asociado a GENTE A PUNTO para realizar su pedido. Le atenderemos con la máxima rapidez y amabilidad.

SERVICIO PERMANENTE NOCTURNO ☾

De 24 a 7h. Tel.: 96 542 24 15

Durante la noche usted también podrá disponer de servicios varios. Para ello tendrá que llamarnos por teléfono y le llevaremos inmediatamente aquello que desee: medicamentos, biberones, tabaco, cubitos de hielo, periódicos, flores, pilas, naipes, carretes de fotografía, un electricista, un cerrajero...

GENTE A PUNTO. Paseo de la Estación, 10

GENTE A PUNTO

le pone las cosas fáciles

1 Tendrá éxito si...

En el periódico de tu ciudad se han publicado estos anuncios de unas empresas recién creadas. Tú quieres invertir dinero en una de ellas. ¿Crees que tendrán éxito? Dale a cada una entre 0 y 3 puntos.

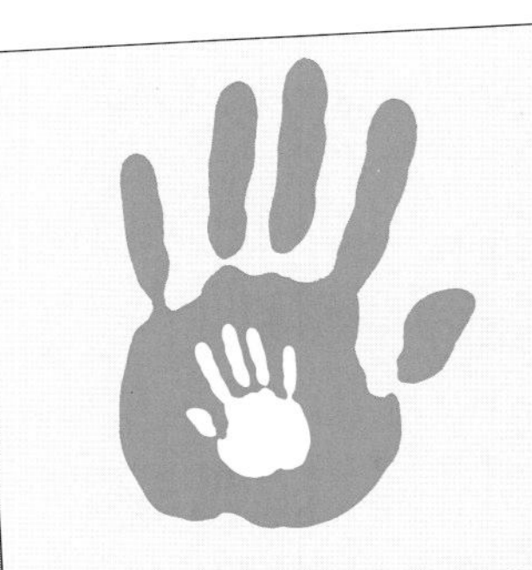

MANITAS Y MANAZAS
Escuela de bricolaje
Pza. Mayor, 5-7

EL CANGURO DIVERTIDO

Tel.: 94 643 56 98

Canguro para sus hijos en menos de 1 hora

LA PAELLA DELICIOSA

Cocina española a domicilio.
Tel.: 94 412 26 97

SECRETARIA TELEFÓNICA
902 67 83 24

Todo tipo de trámites para personas muy ocupadas
Servicio las 24 horas del día

LA FIESTA DE BLAS

¿Fiestas familiares?

¿Celebraciones de empresa?

¿Despedidas de soltero/a?

Llámenos y preocúpese sólo de elegir a sus invitados.

CENTRO RÁPIDO ANTIESTRÉS
Masajes
las 24 horas del día
10 euros los 15 minutos

Ahora, en parejas, discutid vuestro punto de vista sobre las posibilidades de cada empresa. ¿En cuáles invertiríais dinero? Podéis tener en cuenta las siguientes ideas sobre previsiones de futuro y condiciones para el éxito.

- ¿Qué te parece la escuela de bricolaje? ¿Crees que tendrá éxito?
- Yo creo que sí. Pero sólo si ofrece horarios de tarde y noche.

PREVISIONES DE FUTURO

- Tener muchos clientes
- Ser un éxito
- Recibir muchos pedidos
- Ser un buen negocio
- Dar mucho dinero
- ...

CONDICIONES PARA EL ÉXITO

- Un servicio rápido
- Un catálogo muy amplio
- Las últimas novedades
- Precios no muy caros
- Productos o servicios de calidad
- ...

2 Iremos a cualquier hora que nos llame

Elegid dos anuncios: para cada uno tenéis que crear un pequeño texto. Fíjate en cómo se usan el futuro y el subjuntivo en el ejemplo.

EL CANGURO DIVERTIDO: A cualquier hora que nos llame, en menos de una hora tendrá en su casa el mejor canguro para su niño. Estaremos con él todo el tiempo que usted necesite. Jugaremos con él, le contaremos cuentos...

ACONTECIMIENTOS O SITUACIONES FUTURAS

Futuros regulares

HABLAR	hablar-	
LEER	leer-	
ESCRIBIR	escribir-	

Futuros irregulares

TENER	tendr-	
SALIR	saldr-	
VENIR	vendr-	
PONER	pondr-	
HABER	habr-	
DECIR	dir-	
HACER	har-	

\+ **é, ás, á, emos, éis, án**

El Futuro se usa para transmitir confianza y dar ánimos.

Ya lo **verás**.
Ya **verás** cómo todo va bien.

Para expresar la condición.
SI + *Indicativo* + *Futuro*

- Este hotel, **si ofrece** buen servicio, **tendrá** muchos clientes.
- Y **si** los precios no **son** muy caros.

Para comprometerse a hacer algo, hacer promesas.

Tendrá su pedido en su casa en menos de 30 minutos.

Para ofrecerse a hacer algo dejando que decida el otro.

Futuro/Presente + **cuando/donde/ (todo) lo que** + *Subjuntivo*

Le **llevamos todo lo que** usted **necesite**.
Se la **llevaremos** a **donde** nos **diga**.

CUALQUIER(A), TODO EL MUNDO, TODO LO QUE

Todo el mundo ha oído hablar de nuestra nueva empresa.
Llámenos a **cualquier** hora, pídanos **cualquier** cosa, se la llevaremos a **cualquier** sitio.

Todo generalmente va con artículo:

todo el dinero
toda la pizza
todos los pedidos
todas las botellas
todo lo que hemos pedido

Además, **todo/a/os/as** sin sustantivo exigen su correspondiente pronombre átono de OD: **lo, la, los, las.**

- ¿Y el cava?
- Me **lo** he bebido **todo**.

- ¿Y la pizza?
- Me **la** he comido **toda**.

- ¿Y los pollos?
- **Los** hemos vendido **todos**.

- ¿Y las botellas?
- **Las** he repartido **todas**.

PRONOMBRES ÁTONOS OD+OI: SE LO/LA/LOS/LAS

Cuando se combinan los pronombres de OI **le** o **les** con los de OD **lo, la, los, las,** los primeros se convierten en **se.**

- ¿Y el pollo?
- ~~Le~~ **lo** llevaré ahora mismo.
  Se lo llevaré ahora mismo

3 Un juego

En este establecimiento de GENTE A PUNTO hay que organizar el reparto de los siguientes encargos.

PRODUCTO	CLIENTE
Paella	Marisa Aguirre
Nachos	Sres. Frontín
Ensaimada	Carmelo Márquez
Vino	Nuria París
Cava	Gloria Vázquez
Cervezas	Rafael Ceballos
2 Pollos	Sra. Escartín
Pizza	Rosamari Huertas
Tacos	Óscar Broc
Rollitos de primavera	Gemma Alós

En pequeños grupos, y por turnos, formad frases con estas tres estructuras:

Los nachos **se los** llevas a los Sres. Frontín. (1 punto)
Los nachos hay que llevár**selos** a los Sres. Frontín. (2 puntos)
Los nachos llléva**selos** a los Sres. Frontín. (2 puntos)

Si un alumno usa las tres formas correctamente recibe un punto suplementario.

4 Esto no es lo que yo he pedido

El mensajero ha llevado un paquete y se ha ido. El cliente, al abrirlo, comprueba que no es lo que ha pedido. Escucha lo que dicen y anótalo.

	Nº 1	Nº 2
les han llevado		
habían pedido		

Ahora vuelve a escuchar las conversaciones telefónicas y observa qué estructuras usan los interlocutores para decir las siguientes cosas.

PROTESTAR POR EL ERROR (CLIENTE)

RECLAMAR EL PEDIDO (CLIENTE)

DISCULPARSE (EMPLEADO)

En parejas podéis hacer ahora un diálogo semejante a los que habéis oído. El alumno A es uno de los clientes del ejercicio 3 pero no le han llevado lo que había pedido. El alumno B atiende su llamada desde GENTE A PUNTO.

1 Crear una empresa
Vamos a trabajar en grupos. En el periódico hemos visto estos cuatro anuncios. Cada grupo decide crear una empresa. Puede ser una de éstas u otra diferente que vosotros os inventéis. ¿Cuál os parece más interesante? ¿Por qué?

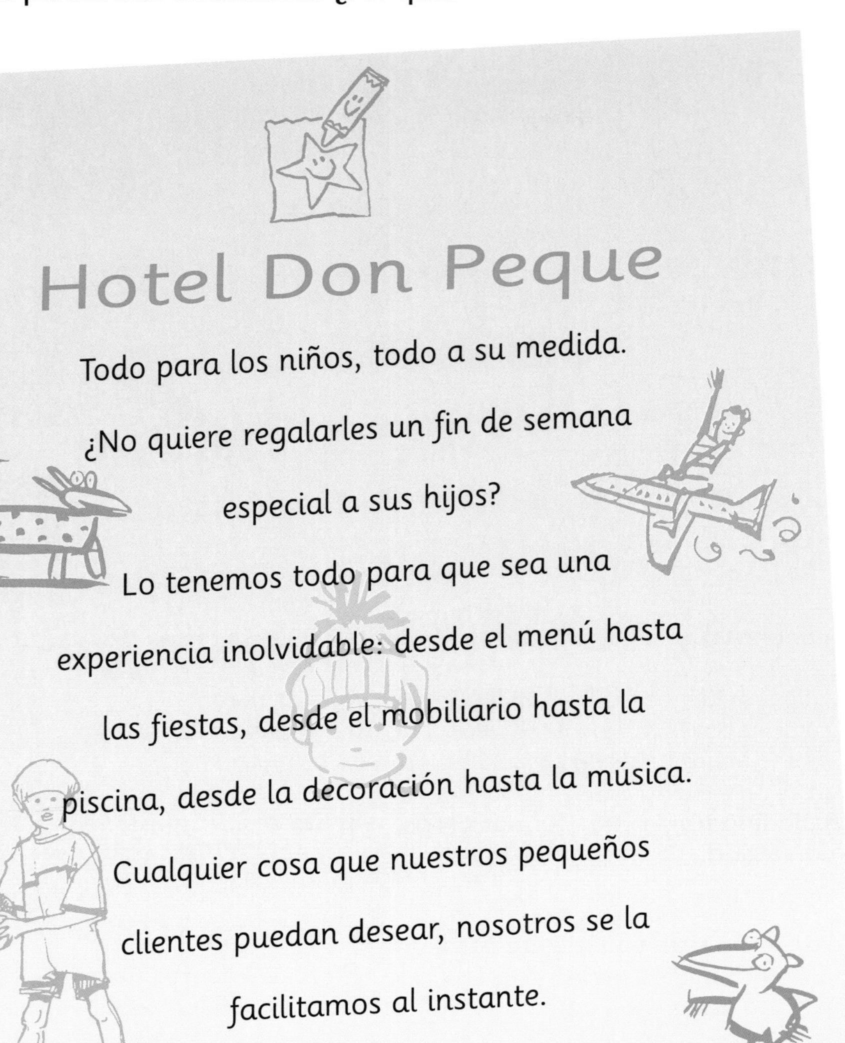

EL CHEF AMBULANTE

¿ESTÁ USTED HARTO de la comida rápida? ¿Ha decidido no comer más pizzas heladas, arroces recalentados en el horno, comida con sabor a envase de papel o de plástico? Nosotros tenemos la solución: no pida la comida, pida el cocinero. Vamos a su domicilio cuando usted nos diga y le preparamos la comida para la hora que quiera. Si lo desea, también le hacemos la compra en el mercado.

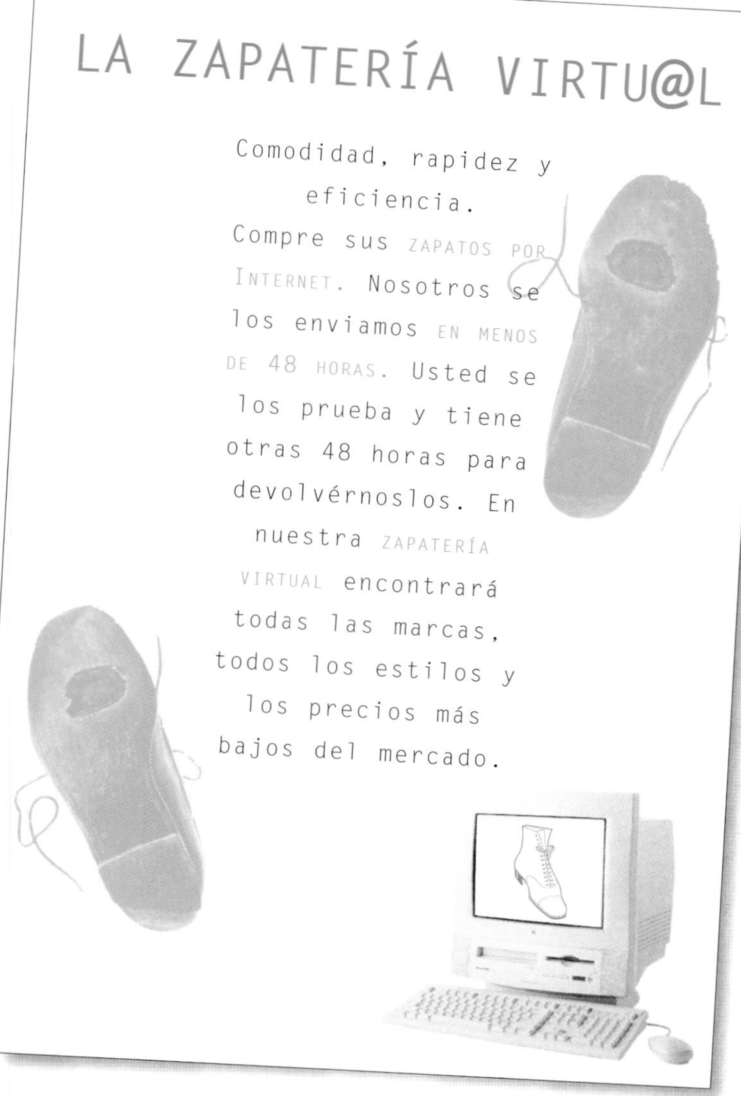

OS SERÁ ÚTIL...

Para referirse a la cantidad de personas

todo el mundo
la gente
la mayoría (de las personas)
mucha gente
casi nadie
nadie

Ventajas e inconvenientes

lo que pasa es que...
el problema es que...
lo bueno/malo es que...

Expresar impersonalidad

En la zapatería Virtual...
...**puedes** elegir entre...
...**uno puede** elegir entre...
...**se puede** elegir entre...

2 ¿Qué piensan los consumidores?
Ahora tenéis que pensar en las ventajas y las desventajas de este tipo de servicios frente a los tradicionales. Tenéis que poneros en el lugar de los consumidores, adoptar su punto de vista. De este modo tendréis más ideas para vuestro anuncio.

3 Elaborar un anuncio audiovisual
Seguimos con los mismos grupos. Vamos a dar a conocer la empresa que hemos creado por medio de un anuncio para la televisión y para las salas de cine. Hay que tomar las siguientes decisiones.

- Tipo de empresa, nombre y eslogan
- Información que dará el anuncio:
  - servicios que ofrecerá
  - formas de pago y facilidades
  - posibles descuentos (jóvenes, tercera edad, socios...)
- Forma del anuncio: entrevista, breve historieta, personajes con voz en off...
- Ideas para convencer a los telespectadores

4 Representación de los anuncios. ¿Cuál nos gusta más?
Cada grupo representa ante la clase su anuncio, como si fuera la grabación en vídeo para la TV. La clase decide cuál es el mejor por votación.

COMERCIO MUNDIAL JUSTO

Las relaciones comerciales internacionales son claramente desfavorables a los países menos industrializados. Los problemas que obstaculizan el desarrollo de muchos países están asociados a las condiciones en que elaboran y venden sus productos a los países ricos: monocultivo (café, té, plátanos, azúcar...), dependencia de monopolios en su distribución, etc. En los últimos años han surgido algunas iniciativas para ayudar a combatir estos problemas.

En el año 1972, las Naciones Unidas aprobaron una resolución según la cual los países desarrollados han de destinar el 0,7 % de su producto interior bruto a aquellos otros que están en vías de desarrollo. Diversas ONG (Organizaciones No Gubernamentales) han hecho suya esta propuesta y realizan actividades destinadas a sensibilizar a la población en general y a presionar a las instituciones para que apliquen esta medida. En España se ha constituido una ONG exclusivamente para promover esta idea: se llama la "Plataforma del 0,7%" y tiene representación en la mayor parte de las ciudades. Así se ha conseguido que muchos ayuntamientos y otras instituciones adopten resoluciones para incluir en su presupuesto anual el 0,7% destinado a la ayuda al desarrollo.

Otras organizaciones han desarrollado el llamado "comercio justo". En las últimas décadas, desde que se inauguró en Holanda en 1969 la primera tienda solidaria, se han multiplicado en muchos países este tipo de establecimientos: se trata de tiendas en las que comprar un kilo de café o una pieza de artesanía tiene un trasfondo ideológico. Productos y tiendas tienen que cumplir una serie de condiciones: respetar el medio ambiente, unificar criterios laborales para hombres y mujeres, no utilizar a niños en la producción, y tener una estructura de empresa solidaria y participativa. El resultado es una red comercial en crecimiento que se enfrenta, de un modo nuevo, a la injusta relación económica entre unos países y otros.

Otra respuesta solidaria a la pobreza son las organizaciones "Sin fronteras": médicos, enfermeras, ingenieros e incluso payasos que han decidido trabajar como voluntarios en el Tercer Mundo en proyectos de cooperación o en situaciones de emergencia.

MILES DE CIUDADANOS SE SOLIDARIZAN EN MADRID CON EL 0,7% CONTRA LA MISERIA

EL 66% DE LOS ESPAÑOLES, A FAVOR DE DESTINAR EL 0,7%DEL PIB NACIONAL AL TERCER MUNDO

MÁS DE UN CENTENAR DE PANADEROS COLABORAN CON PAN SIN FRONTERAS

1. ¿Existen productos procedentes de países latinoamericanos en el mercado donde tú compras? ¿Qué precio tienen? ¿Qué parte de ese dinero calculas que le llega a quien los produce en el país de origen?

2. ¿Qué opináis de iniciativas como la del 0,7% y la del "comercio justo"?

3. ¿Qué asociaciones "Sin fronteras" podríais crear en vuestro círculo de amigos o conocidos?

PAYASOS
SIN
FRONTERAS
INGENIERIA
SIN
FRONTERAS
VETERINARIOS
SIN FRONTERAS
Economistas sin Fronteras

Vamos a elaborar un programa de actuación para preparar la sociedad del futuro. En el debate que mantendremos, practicaremos:

- ✔ formas de tomar y ceder la palabra y de iniciar y finalizar una intervención
- ✔ maneras de expresar opiniones y de argumentar

gente que opina

1 La vida dentro de 50 años

¿Cómo será la vida a mediados del siglo XXI? Señala en cuáles de estos ámbitos crees que habrá cambios importantes. ¿Qué cosas crees que pasarán en relación a esos temas? Escribe cinco frases.

Yo creo que muy pronto podremos comunicarnos con otras civilizaciones.

La conservación del medio ambiente
- La contaminación de los mares
- La deforestación del planeta
- El agujero de la capa de ozono
- El cambio climático

Los adelantos científicos y tecnológicos
- La manipulación genética
- La informática
- La sanidad
- Los efectos de la medicina en la esperanza de vida
- La hibernación de seres humanos

Las relaciones personales y familiares
- La tercera edad
- Las nuevas formas de relaciones familiares
- Las madres de alquiler

La exploración del espacio
- Las bases habitadas en la Luna
- La explotación agrícola del suelo lunar o de otros planetas
- Los contactos con civilizaciones extraterrestres

Las relaciones internacionales
- Las guerras y conflictos locales
- Los movimientos migratorios
- El crecimiento de la población
- La relación económica entre países ricos y países pobres

Otros: ______________________

____

____

Ahora busca en la clase a dos compañeros que tengan opiniones próximas a las tuyas.

- ● *Yo creo que habrá grandes avances en la exploración del espacio.*
- ○ *Yo también. Pero creo que serán más importantes los cambios en la tierra.*
- ■ *Sí. El agujero de la capa de ozono será muy grande, y eso afectará a la salud de las personas.*

Y ahora, los tres os ponéis de acuerdo: ¿qué consecuencias traerán todos estos cambios? Las podéis exponer ante la clase.

- ● *Nosotros pensamos que habrá grandes avances en la exploración del espacio.*
- ○ *Sí, podremos ir de vacaciones a la Luna.*
- ■ *Y también habrá bases científicas en Marte.*

1 Palabras, objetos y costumbres que tienen los días contados

AÑOS 90

AÑOS 2010

Contexto

Acaba de salir al mercado el libro *Palabras, objetos y costumbres que tienen los días contados* de Isabel Morán. Ahora una locutora de radio se lo comenta a sus oyentes. Aquí puedes leer, además, una de sus páginas.

Palabras, objetos y costumbres que tienen los días contados

LOS DISCOS

Desaparecerán. Del todo. Uno podrá recibir en su casa o en su trabajo cualquier música que quiera, a la carta. Por ejemplo, uno podrá suscribirse sistemáticamente a tangos de Gardel, a óperas italianas, a *blues* de los años 50 o a todas las canciones que grabe determinada cantante. O a un servicio sorpresa que ponga música de todos los géneros.

EL ORDEN ALFABÉTICO

Por desgracia, este útil invento de un monje francés del siglo XII perderá casi todo su uso cuando guías telefónicas, obras de referencia y directorios estén en soporte electrónico. Para buscar BORGES, por ejemplo, no habrá ya que recordar si la "g" va antes o después de la "j", sino sencillamente pulsar las teclas correspondientes. O ni siquiera eso: pronunciar el nombre será suficiente porque el programa sabrá reconocerlo.

LOS ATLAS

La nueva cartografía electrónica a la medida del usuario desterrará los mapas impresos: en clase, los escolares usarán sistemas multimedia y los automóviles llevarán sistemas de información geográfica que, por ejemplo, indicarán la distancia y la ruta hasta un restaurante con menú del día inferior a 15 euros.

36

Contexto

En el periódico de hoy se publica un artículo sobre los cambios en la sociedad moderna. Es un reportaje sobre una conferencia de un escritor y filósofo alemán contemporáneo.

2 Cambios de valores: la calidad de vida

HOY

Hans Magnus Enzensberger prevé la crisis del lujo superfluo y exhibicionista

RAMÓN ALBA / MADRID

El pensador alemán advierte de un peligro que nos amenaza: lo más necesario empieza a ser escaso. En un futuro próximo, lo más valioso serán unas condiciones de vida elementales, como vivir en tranquilidad, tener tiempo para uno mismo o disponer de espacio suficiente.

En la actualidad, los deportistas de élite, los banqueros y los políticos disponen de dinero, de amplitud de espacio para vivir y, hasta cierto punto, de seguridad, pero son muy pobres en tiempo y en tranquilidad. Por el contrario, los parados, las personas mayores o los refugiados políticos tienen en general mucho tiempo, pero a menudo no pueden disfrutarlo de manera adecuada por falta de dinero, de espacio vital o de seguridad.

Seguramente, los lujos del futuro no consistirán ya en disponer de una cantidad de cosas (que en realidad son superfluas y sólo sirven para que las exhibamos ante los demás) sino en una serie de bienes aparentemente muy básicos: tiempo, espacio, tranquilidad, medio ambiente sano y libertad para escoger lo que nos interesa.

En las sociedades desarrolladas, el ritmo de vida actual puede terminar provocando un cambio de prioridades: "En la época del consumo desenfrenado, lo escaso, lo raro, lo caro y codiciado no son los automóviles veloces ni los relojes de oro, tampoco las cajas de champán o los perfumes –cosas que pueden comprarse en cualquier esquina– sino unas condiciones de vida elementales: tener tranquilidad, agua pura y espacio suficiente."

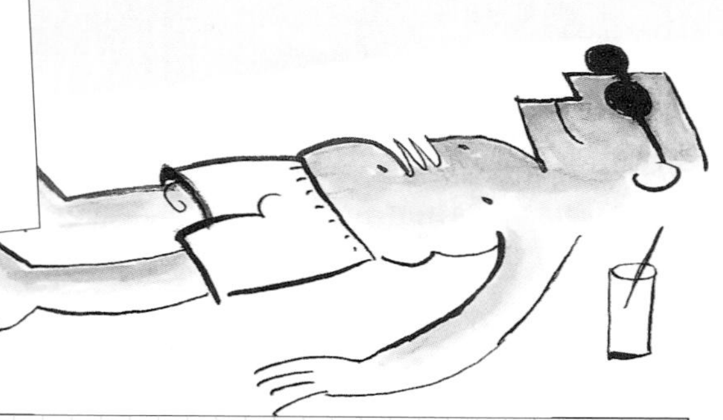

(Información obtenida de *La Vanguardia*)

Actividades

A Fíjate en los baúles de los años 50 y 90. En ellos hay algunas cosas que ya no usamos. ¿Y en el futuro? Comenta con tus compañeros cuáles de los objetos de la ilustración podemos meter en el tercer baúl. También podéis pensar en otras cosas que a lo mejor dejarán de existir:

el dinero en metálico	las gafas
el teléfono móvil	los libros
los periódicos en papel	los pasaportes
los teatros y los cines	las llaves de metal

- A mí me parece que el dinero en metálico desaparecerá.
- Sí, yo también lo creo, dejaremos de pagar en metálico y sólo usaremos tarjetas de crédito o monederos electrónicos.

- Los periódicos seguirán existiendo.
- Sí, sí, la gente seguirá leyendo periódicos.

B Ahora, lee la página del libro y escucha el programa de radio para completar esta ficha:

PALABRAS, OBJETOS Y COSTUMBRES QUE DESAPARECERÁN	RAZÓN QUE DA ISABEL MORÁN

C Haz una lista con los valores (materiales y no materiales) que se citan en el artículo. ¿Cuáles son para ti los más importantes?

D ¿Conoces personalmente a alguien que viva como describe Enzensberger? Cuenta a tus compañeros cómo es un día en su vida.

1 Progresos de la tecnología: ¿son verdad o son una broma?

Imaginemos que los científicos del Instituto Internacional de Tecnología Aplicada han presentado un catálogo de inventos. ¿Crees que existen realmente?

Máquina para viajar en el tiempo: permite visitar el pasado y el futuro y volver al presente con la información y las experiencias obtenidas. Por el momento, nadie se atreve a usarla.

Organismos vivos que combaten la contaminación: plantas que limpian el subsuelo después de un desastre químico, el aire después de un accidente nuclear o que eliminan los metales pesados en el mar.

Mascotas de encargo: una jirafa-bonsai

Un mini-helicóptero individual para desplazarse por la ciudad sin atascos. Sólo falta que el Ministerio de Industria lo autorice.

La máquina de la verdad: puede detectar inmediatamente si alguien dice la verdad o miente. No se usa aún (al menos oficialmente) porque presenta serios problemas éticos.

- A mí me parece que esto sí existe.
- Pues yo no creo que exista.
- Hombre, quizá todavía no, pero pronto existirá.

Ahora vosotros podéis también describir inventos reales o imaginarios. Vuestros compañeros deberán decidir si existen o no.

2 ¿Y tú, qué dices?

Escuchad lo que dicen estas personas. En grupos de tres, tenéis que reaccionar expresando vuestra opinión personal.

Las centrales de energía nuclear no serán necesarias.

- Desde luego. No serán necesarias.
- Pues yo no estoy muy seguro de eso.
- Yo, tampoco.

¿Qué consecuencias tendrán estos cambios? Describe algunas usando cuando.

Cuando las centrales de energía nuclear no sean necesarias, viviremos más tranquilos.

3 ¿Seguiremos haciendo lo mismo?

¿Cuáles de estas cosas crees que seguirás haciendo en el 2050? ¿Cuáles ya no harás? Señálalo.

ir en coche a trabajar — hablar por teléfono — estudiar idiomas
comprar en el supermercado — dormir siete horas diarias — comer carne
ver las películas en una sala de cine — escribir cartas — tomar medicinas

Compara tu lista con la de tu compañero. Explícale tus razones. ¿Puedes utilizar algunos de los recursos de la argumentación?

- Sobre lo de hablar por teléfono, yo creo que seguiremos haciéndolo. Ahora bien, los teléfonos serán diferentes.

LA EXPRESIÓN DE OPINIONES

Presentar la propia opinión
(Yo) creo que...
(Yo) pienso que...
En mi opinión,...
Estoy seguro/a de que...
Me da la impresión de que...
Tal vez...
+ *INDICATIVO*
...el futuro **será** mejor.

(Yo) no creo que...
Dudo que...
No estoy seguro/a de que...
(No) es probable/posible que...
Tal vez...
+ *SUBJUNTIVO*
...el futuro **sea** mejor.

Clarificar las opiniones
Lo que quiero decir es que...
No, no, lo que quería decir no es eso.
¿Lo que quieres decir es que...?

Aprobar otras opiniones
Sin duda.
Sí, claro.
Desde luego.

Mostrar duda
Sí, es probable.
Sí, puede ser.

Mostrar escepticismo
(Yo) no lo creo.
No estoy (muy) seguro/a de eso.

Mostrar rechazo
No, qué va.
No, en absoluto.
No, de ninguna manera.

CONECTORES: ARGUMENTACIÓN

Aportar más razones
Además,
Incluso...

Sacar conclusiones
Así que...
Entonces,
Total, que...

Presentar un nuevo argumento o una conclusión
De todas maneras,
En cualquier caso,

Contraponer razones
Ahora bien/Ahora, que
Pero...
Bueno,
Sin embargo,

Aludir a un tema ya planteado
En cuanto a (eso de que)...
(Con) respecto a (eso de)...
Sobre...

Respecto a eso que ha dicho Tere, que no habrá tantas guerras, yo no estoy tan segura.
Yo tampoco. Ahora, lo que sí es probable es que sean muy locales.

CONTINUIDAD E INTERRUPCIÓN

Seguir + *GERUNDIO*
Seguir + sin + *INFINITIVO*

Dejar de + *INFINITIVO*
Ya no + *PRESENTE*

CUANDO CON IDEA DE FUTURO

Cuando llegue el año 2045 habrá bases habitadas en la Luna. **Cuando haya** bases habitadas en la Luna podremos ir allí de vacaciones. **Cuando** podamos **ir** allí...

4 Y además...

Escucha lo que dicen estas personas a propósito de Nutristan. ¿Qué argumentos dan a favor? ¿Cuáles en contra?

NUTRISTAN

OLVIDE LAS COMPRAS, LA COCINA Y EL COLESTEROL

Nuestros investigadores han diseñado una fórmula ideal para su salud.
Con las pastillas alimenticias NUTRISTAN ganará tiempo y mejorará su salud...
Porque están listas para tomar y no necesitan ninguna preparación.
Porque no engordan y se digieren fácilmente.
Porque son una forma económica de alimentarse.

EN TODO TIPO DE SABORES

FRUTA: melón, melocotón, fresa, naranja. **VERDURA:** alcachofa, berenjena, endivia, espárrago.
CARNE: ternera, cordero, cerdo, pollo. **PESCADO:** merluza, rape, bacalao, besugo.

A FAVOR	EN CONTRA
______	______
______	______
______	______

Fíjate en los recursos que usan para argumentar sus puntos de vista.

5 Profecías para el futuro

Lee este texto y escribe en cada espacio el conector más apropiado.

ahora bien
bueno
incluso
de hecho
en cualquier caso
sin embargo
además

En todas las épocas la gente ha querido conocer el futuro. Brujas, adivinos, videntes y artistas han descrito el futuro a sus contemporáneos. ______, hacer predicciones no es fácil y todos ellos se han equivocado. ______, todos no: casi todos. Algunos han acertado; por ejemplo, Julio Verne, que en el siglo pasado ya previó el submarino, la televisión y los viajes espaciales. ______, J. Verne es también una excepción por su optimismo: un optimista entre los pesimistas.

______, la mayor parte de las predicciones eran una mezcla de pesimismo, desconfianza hacia el progreso, y nostalgia del pasado. ¿Muestras de toda esta desconfianza? Muchas: en el s. XVII la iglesia católica consideraba la cirugía un método antinatural para aliviar el dolor; 200 años más tarde, algunos científicos respetables decían que la luz eléctrica nos dejaría ciegos a todos; ______ se llegó a decir que la velocidad del tren era peligrosa para la circulación de la sangre.

Actualmente las cosas no son muy distintas. Si miramos a nuestro alrededor, comprobaremos que hay cantidad de razones para el optimismo: la medicina ha demostrado su eficacia al servicio de una vida más sana, más larga y con menos dolor; ______, sus costes se han abaratado y sus beneficios se han extendido a todas las clases sociales. ______ sigue habiendo muchos desconfiados hacia la ciencias y la tecnologías.

______, yo me atrevo a hacer aquí dos predicciones: la humanidad seguirá mejorando en todos los sentidos. Y los seres humanos continuaremos quejándonos y pensando que "era mejor cuando era peor".

Luis Rojas Marcos
(*El País Semanal*, texto adaptado)

¿Y tú? ¿En qué estás de acuerdo con lo que dice? ¿En qué cosas no lo estás?

• *Yo no creo que la humanidad vaya a seguir mejorando.*

1 El futuro a debate

El Centro de Investigaciones para un Futuro Mejor reúne a una serie de personas de procedencias y características muy diferentes. El tema del que hablarán nos interesa a todos: ¿cómo debemos actuar hoy para preparar el mundo del mañana?

LA AUTOMATIZACIÓN HA REDUCIDO EN UN 45% LOS PUESTOS DE TRABAJO EN LA INDUSTRIA DEL AUTOMÓVIL

REBROTES DE CÓLERA Y FIEBRE AMARILLA EN LAS ZONAS TROPICALES DEL PLANETA

LAS ÁREAS PROTEGIDAS DE LA SELVA ECUATORIAL OCUPAN SÓLO EL 4,5% DE LA SUPERFICIE TOTAL

LA TELEVISIÓN DIGITAL SE INTRODUCE EN EL 30% DE LOS HOGARES ESPAÑOLES EN SÓLO 5 AÑOS

CRECEN LAS TENSIONES ENTRE PAÍSES RICOS Y POBRES EN LOS FOROS INTERNACIONALES

OS SERÁ ÚTIL...

Cuando te ceden el turno
Bien,
Mmm, pues...

Si quieres intervenir
Una cosa,
Yo quería decir que...

Para mantener la atención del otro
...¿no?
...¿verdad?

Contradecir moderadamente
No sé, pero yo creo que...
No, si yo no digo que...
Sí, ya, pero...
Puede que sí, pero...
sea así,
tengas razón,

Contradecir abiertamente
Pues yo no lo veo así, yo creo que...
En eso no estoy (nada) de acuerdo.

A

¿Cómo piensan ellos?
Elige dos de los personajes de la ilustración e imagina cuáles pueden ser sus ideas. Coméntalo con tus compañeros.

- *Para Alba Páramo lo más importante es la paz mundial y la conservación del medio ambiente.*

Los TEMAS PRIORITARIOS son:
- El trabajo y el desempleo
- Las relaciones internacionales entre países ricos y pobres
- La paz mundial
- El desarrollo tecnológico
- La conservación del medio ambiente
- Unas condiciones de vida dignas (salud, educación) en todo el planeta

Los PRINCIPALES PROTAGONISTAS en la evolución de la Humanidad son:
- Las personas, los individuos
- Las asociaciones diversas (de vecinos, de profesionales...)
- Las organizaciones no gubernamentales
- Los poderes políticos y económicos
- Los formadores de opinión (intelectuales, periodistas, líderes religiosos)
- La familia

Si queremos conseguir nuestros propósitos, los CAMPOS DE ACTUACIÓN en los que debemos influir son:
- La moral, los valores y las actitudes de las personas
- Las estructuras económicas y políticas de los estados actuales
- Las leyes y la justicia, a nivel nacional e internacional
- La enseñanza: la escuela y la universidad
- Los medios de comunicación

¿Y tú? ¿Cuáles son tus opiniones al respecto? Márcalas.

B

Preparemos el debate
Busca a una o dos personas de la clase que tengan el mismo TEMA PRIORITARIO que tú. También tendréis que llegar a un principio de acuerdo sobre los PRINCIPALES PROTAGONISTAS y los CAMPOS DE ACTUACIÓN. Elaborad una lista de ideas y puntos de vista sobre el tema elegido. Aquí tenéis unas pautas que os pueden ayudar.

- Problemas que ya existen en la actualidad
- Ejemplos o casos concretos de esos problemas
- Evolución previsible de los problemas si no se toman medidas
- Medidas que conviene tomar
- Argumentos y razones en las que se basan esas opiniones

C

El debate y las conclusiones
El profesor conducirá el debate y hará una primera pregunta para romper el hielo. Entre todos debéis llegar a crear un programa de 5 puntos de actuación pactado mayoritariamente.

Uno o dos compañeros actúan de secretarios. Tomarán nota de los puntos en que reine mayor acuerdo. Al final los expondrán a toda la clase.

UN MUNDO QUE AGONIZA DE MIGUEL DELIBES

Ecología, ensayo literario, filosofía y sociología en un solo libro: *Un mundo que agoniza* resume el pensamiento de Miguel Delibes. A través de sus novelas ha intentado hacernos comprender sus ideas sobre el progreso, y en este libro nos explica cuál es el pensamiento que le movió a crear los personajes de sus novelas, héroes del mundo rural. Leer *Un mundo que agoniza* significa comprender profundamente toda la obra de Delibes y su lucha contra el falso progreso. Éstos son algunos de sus párrafos.

Todos estamos de acuerdo en que la Ciencia ha cambiado, o seguramente sería mejor decir revolucionado, la vida moderna. En pocos años se ha demostrado que el ingenio del hombre, como sus necesidades, no tienen límites. En la actualidad disponemos de cosas que no ya nuestros abuelos, sino nuestros padres hace apenas unos años, no hubieran podido imaginar: automóviles, aviones, cohetes interplanetarios. Tales invenciones aportan, sin duda, ventajas al dotar al hombre de un tiempo y una capacidad de maniobra impensables en su condición de bípedo, pero, ¿desconocemos acaso que un aparato supersónico que se desplaza de París a Nueva York consume durante las seis horas de vuelo una cantidad de oxígeno aproximada a la que, durante el mismo tiempo, necesitarían 25.000 personas para respirar?

A la Humanidad ya no le sobra el oxígeno, pero es que, además, estos reactores desprenden por sus escapes infinidad de partículas que dificultan el paso de las radiaciones solares, hasta el punto de que un equipo de naturalistas desplazado durante medio año a una pequeña isla del Pacífico para estudiar el fenómeno, informó en 1970 al Congreso de Londres, que en el tiempo que llevaban en funcionamiento estos aviones, la acción del Sol -luminosa y calorífica- había disminuido aproximadamente en un 30%, con lo que, de no adoptarse las medidas correctivas, no se descartaba la posibilidad de una nueva glaciación.

• • •

La Medicina en el último siglo ha funcionado muy bien, de tal forma que hoy nace mucha más gente de la que se muere. La demografía ha estallado, se ha producido una explosión literalmente sensacional. La pregunta irrumpe sin pedir paso: ¿va a dar para tantos la despensa? Si este progreso del que hoy nos enorgullecemos no ha conseguido solucionar el hambre de dos tercios de la Humanidad, ¿qué se puede esperar el día, que muy bien pueden conocer nuestros nietos, en que por cada hombre actual haya catorce sobre la Tierra? La Medicina ha cumplido con su deber, pero al posponer la hora de nuestra muerte, viene a agravar, sin quererlo, los problemas de nuestra vida. Pese a sus esfuerzos, no ha conseguido cambiarnos por dentro; nos ha hecho más pero no mejores. Estamos más juntos –y aún lo estaremos más– pero no más próximos.

• • •

En treinta años hemos multiplicado por diez el consumo de petróleo. Nuestra próspera industria y nuestra comodidad dependen de unas bolsas fósiles que en unos pocos años se habrán agotado. En un siglo nos habremos bebido una riqueza que tardó 600 millones de años en formarse. En cualquier caso, prever que las reservas de plomo y mercurio durarán ochenta años y las de estaño y cinc, cien, no es precisamente abrir para la Humanidad unas perspectivas muy optimistas.

(Texto adaptado)

1 El texto de Miguel Delibes se escribió en 1979. ¿Crees que desde entonces han cambiado mucho las cosas? ¿Modificarías sus afirmaciones en algún sentido? Discútelo con tus compañeros.

2 Aquí tenéis los resultados de una encuesta que publicó *El País* sobre lo que opinan los españoles de la ingeniería genética. ¿Qué responderías tú a cada una de las preguntas? Comparad los resultados de vuestra clase con los porcentajes de los españoles.

Los españoles y la ciencia

1 Por lo que usted ha oído o leído sobre la biotecnología o la ingeniería genética, ¿cómo cree que, en general, son estos avances de peligrosos para las personas? ¿Y para el medio ambiente?

En porcentaje	PARA LAS PERSONAS	PARA EL MEDIO AMBIENTE
Muy peligrosos	17,2	15,4
Bastante peligrosos	40,2	37,6
Poco peligrosos	14,1	15,3
Nada peligrosos	5,6	6,5
Depende	6,8	6,0
NS/NC	15,9	19,2

2 Refiriéndonos específicamente a la ingeniería genética ¿cómo valoraría usted de 0 a 10 su uso para los siguientes propósitos?:

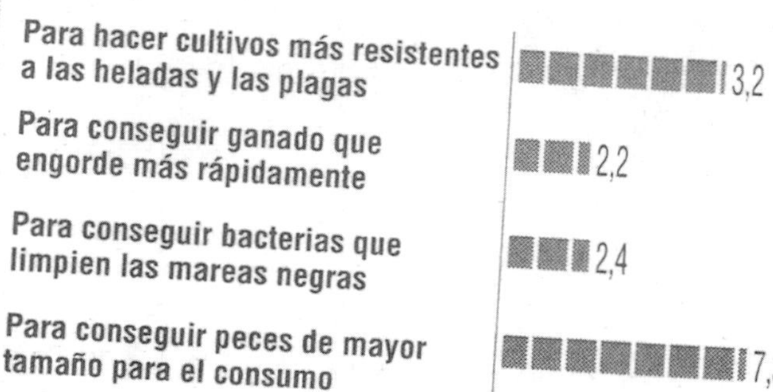

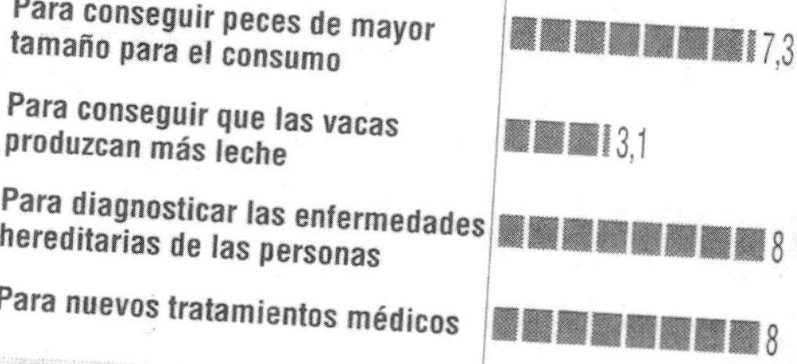

Propósito	Valoración
Para hacer cultivos más resistentes a las heladas y las plagas	3,2
Para conseguir ganado que engorde más rápidamente	2,2
Para conseguir bacterias que limpien las mareas negras	2,4
Para conseguir peces de mayor tamaño para el consumo	7,3
Para conseguir que las vacas produzcan más leche	3,1
Para diagnosticar las enfermedades hereditarias de las personas	8
Para nuevos tratamientos médicos	8

3 Por mencionar un ejemplo concreto: en la actualidad es posible introducir genes del maíz en la patata para aumentar su valor nutritivo, es decir, para que alimenten más. ¿Consumiría usted este tipo de patatas?

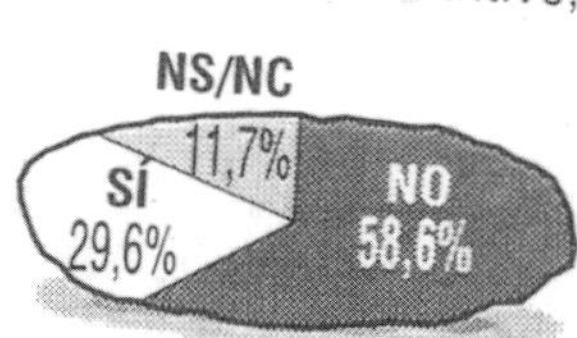

4 A raíz del experimento que permite producir seres absolutamente idénticos unos a otros, es posible que dentro de unos años la clonación de animales constituya una práctica científica habitual. ¿A usted, personalmente, esto le parece…

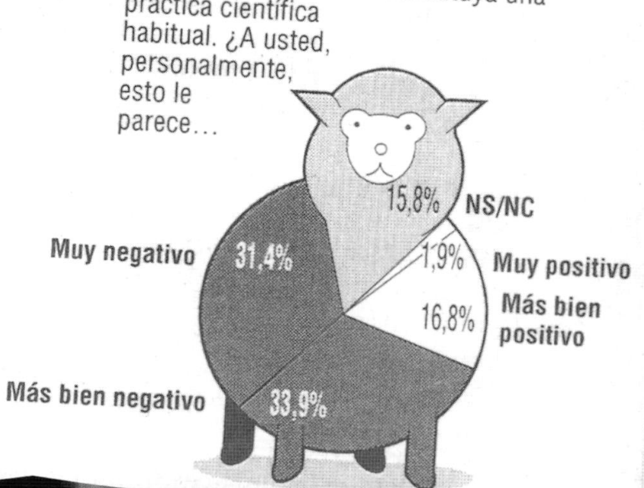

5 Aunque hoy en día todavía no parece posible llevar a cabo una clonación de seres humanos, ¿cree usted que dentro de 10 o 20 años la clonación humana será algo científicamente posible?

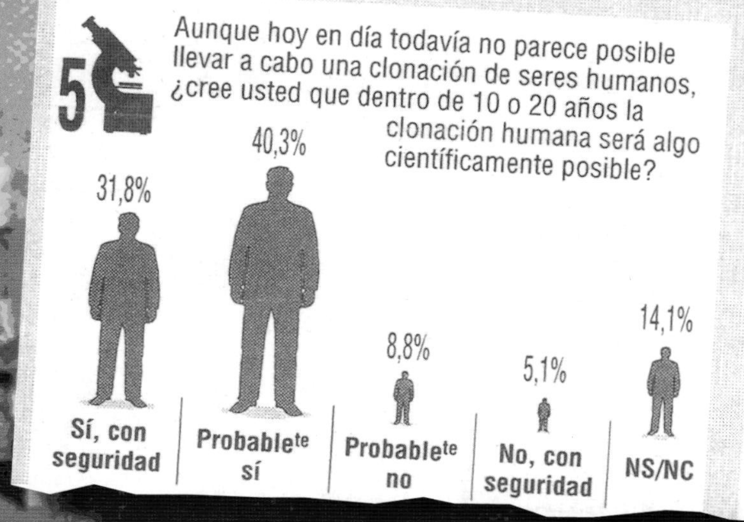

33 34 35 36

Vamos a convertirnos en un gabinete de psicólogos. Investigaremos los problemas y conflictos de una serie de personas y propondremos soluciones. Aprenderemos a:

- ✔ describir relaciones entre las personas
- ✔ expresar sentimientos y hablar de ellos

gente con carácter

1 Todo el mundo tiene problemas

En grupos, escoged a uno de los personajes de la imagen. ¿Qué le pasa? ¿Qué problemas tiene? Aquí tenéis una lista para elegir.

En el trabajo nadie valora lo que hace. Y lo pasa fatal.
Sus padres no le entienden. Y se enfadan por cualquier cosa.
Cree que su pareja se ha enamorado de otra persona.
Su mujer/marido y él/ella discuten por cualquier cosa. Quizá acaben separándose.
Está bien en su trabajo pero no aguanta a su jefe/a.
Está muy disgustado/a con su hija: no le gusta nada el chico con quien sale.
Le da miedo quedarse viudo/a.
No soporta a la familia de su pareja.
Los vecinos de su escalera son insoportables. Se lleva fatal con ellos.
Su marido/mujer está muy pesado/a. Tiene celos de todo el mundo.
Se siente solo/a. No tiene ningún amigo íntimo.
Sus hijos no le hacen caso.
Le da vergüenza hablar en público.
Se lleva bien con su hermana mayor pero dice que es una mandona.
Se quieren pero siempre están peleándose.
Su hijo/a mayor le tiene muy preocupado/a: no se entiende con su madre/padre.

Ahora, un alumno va a ser el personaje que ha elegido su grupo. Tiene que hablar ante el resto de la clase, en primera persona. Explicará sus problemas y sus compañeros le darán consejos.

- En el trabajo no aguanto a mi jefe; en casa, mis hijos no me hacen caso, y encima mi pareja tiene unos celos terribles.
- Lo que tienes que hacer es no darle tanta importancia al trabajo.
- Sí, y mirar el lado positivo de las cosas: seguramente tu mujer/marido tiene celos porque te quiere mucho.

1 Amores y pasiones: la química en las relaciones humanas

ELLOS Y ELLAS

ROSA MONTERO

Para nosotras, "ellos" son desconcertantes y rarísimos, del mismo modo que nosotras somos siempre un misterio absoluto para ellos. He tardado muchos años en llegar a comprender que si me gustan los hombres es precisamente porque no los entiendo. Porque son unos marcianos para mí, criaturas raras y como desconectadas por dentro, de manera que sus procesos mentales no tienen que ver con sus sentimientos; su lógica con sus emociones, sus deseos con su voluntad, sus palabras con sus actos. Son un enigma, un pozo lleno de ecos. Y esto mismo es lo que siempre han dicho ellos de nosotras: que las mujeres somos seres extraños e imprevisibles.

Y es que poseemos, hombres y mujeres, lógicas distintas, concepciones del mundo diferentes; somos polos opuestos que al mismo tiempo se atraen y se repelen. ¿Qué es el amor sino esa gustosa enajenación; el salirte de ti para entrar en el otro o la otra, para navegar por una galaxia distante de la tuya? De manera que ahora, cada vez que un hombre me exaspera y me irrita, tiendo a pensar que esa extraña criatura es un visitante del planeta Júpiter, al que se debe tratar con paciencia científica y con curiosidad y atención antropológicas (...) Hombres, (...) ásperos y dulces, amantes y enemigos; espíritus ajenos que, por ser "lo otro", ponen las fronteras a nuestra identidad como mujeres y nos definen.

(*El País Semanal*, texto adaptado)

AMOR Y PASIÓN

LUIS ROJAS MARCOS

La pasión romántica es una emoción primitiva, a la vez sublime y delirante. Está en los genes y se alimenta de fuerzas biológicas muy poderosas. Se han identificado compuestos específicos como la feniletilamina y la dopamina que acompañan a este frenesí que es el enamoramiento.

El flechazo entre dos personas es algo similar a la reacción química entre dos sustancias que al ponerse en contacto se transforman. Es una fiebre infrecuente y fugaz. Sacude a los hombres y a las mujeres un promedio de tres veces a lo largo de la existencia, y su duración no pasa de un puñado de meses. La razón de que nos seduzca ciegamente una persona y no otra es nuestro "mapa del amor" particular, que determina las características del hombre o la mujer que nos va a atraer, a excitar sexualmente, a fascinar. Esta guía mental, inconsciente y única, se forma en los primeros 12 años de la vida, a base de los atributos físicos y temperamentales de figuras importantes de nuestro entorno.

(*El País Semanal*, texto adaptado)

2 Problemas y conflictos

Actividades

A Lee los textos de Rosa Montero y de Luis Rojas Marcos. Subraya aquellas frases con las que estás más de acuerdo. Señala también, en otro color, aquellas con las que no estás de acuerdo. Comenta con tus compañeros tus puntos de vista sobre lo que dicen.

B Escucha a estas personas, que hablan de problemas de conocidos suyos. ¿Qué les pasa? Trata de resumir el conflicto.

	QUIÉNES TIENEN EL PROBLEMA	QUÉ RELACIÓN TIENEN ENTRE SÍ	QUÉ LES PASA
1			
2			
3			
4			

C ¿Cómo crees que se siente cada una de las personas de las que se habla en la audición? ¿Cómo están?

preocupado/a enfadado/a triste sorprendido/a deprimido/a contento/a tranquilo/a ...

1 ¿Qué le pasa?

Habla con tus compañeros sobre cómo se siente Kepa, el mimo, en cada foto.

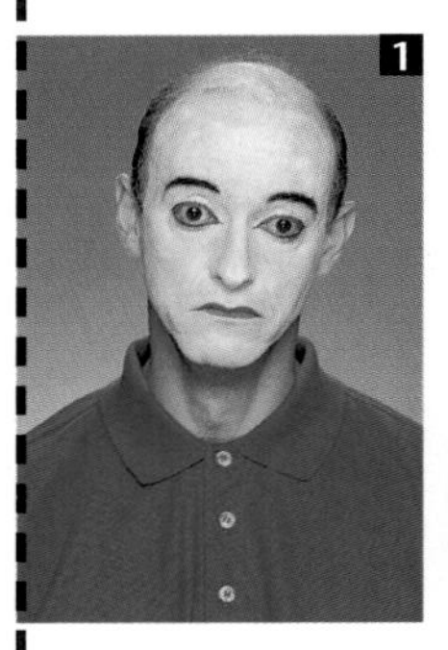

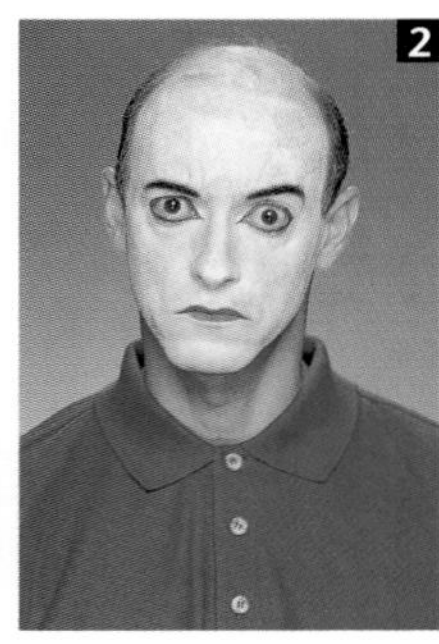

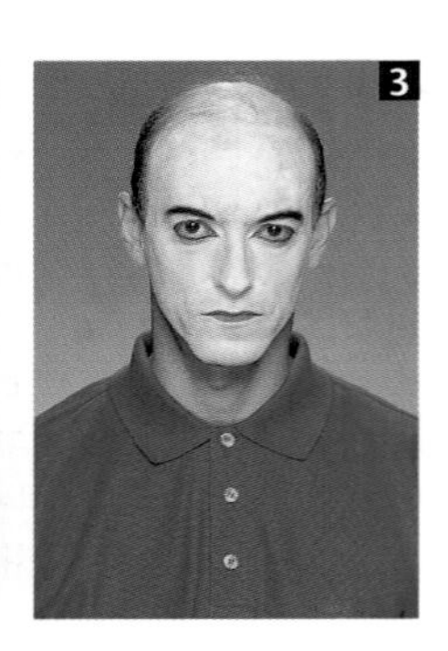

de mal humor
decepcionado
asustado
indeciso
contento
nervioso
preocupado
triste
de buen humor
harto
enfadado
sorprendido

- Yo creo que aquí está de mal humor.
- Sí, y un poco triste, ¿no?

2 ¿Y a ti? ¿Qué cosas te pasan?

En pequeños grupos, cada uno escribe en un papelito cuatro frases sobre cómo se siente en determinadas situaciones: tres verdaderas y una falsa. Luego se las lee a sus compañeros y ellos tienen que decir cuáles son verdad y cuál no.

- Lo paso fatal cuando tengo que ir al dentista.
- Me pongo de mal humor si mis amigos no me llaman por teléfono. Pero se me pasa enseguida.
- Me pongo muy nervioso cuando tengo que hablar en público.
- Me duele que me digan mentiras.

3 Antes no era así. Se ha vuelto un poco...

Estos adjetivos forman pares opuestos. En parejas, encontrad cuáles son.

abierto/a alegre altruista antipático/a autoritario/a
cerrado/a flexible dialogante egocéntrico/a egoísta
inflexible generoso/a irresponsable falso/a
modesto/a orgulloso/a perezoso/a retraído/a simpático/a
sociable trabajador/a triste responsable sincero/a

Ahora piensa en dos personas que conozcas que hayan cambiado mucho en su forma de ser. Explícaselo a tus compañeros.

- El padre de una amiga mía era una persona muy alegre, muy comunicativa. Pero ha tenido una enfermedad, se ha quedado sordo y ha cambiado mucho, se ha vuelto más serio.

SENTIMIENTOS Y ESTADOS DE ÁNIMO

me / te / le / ... da { **vergüenza... / miedo... / risa... / ...**
duele...

... + *INFINITIVO*
... **si/cuando** + *INDICATIVO*
... **que** + *SUBJUNTIVO*

Me da miedo estar solo.
(A MÍ) (YO)

Me da pena cuando/si los niños **lloran.**
(A MÍ) (LOS NIÑOS)

Me da lástima que la gente **discuta.**
(A MÍ) (LA GENTE)

Me duele que María no **me llame.**
(A MÍ) (MARÍA)

	PONERSE	
me	pongo	
te	pones	contento/a...
se	pone	
nos	ponemos	
os	ponéis	nerviosos/as...
se	ponen	

La niña **se pone** nerviosa...
Me enfado mucho...
Luis **se siente** fatal...
Lo pasamos muy **mal**...

INDICATIVO
...**cuando** la gente **discute.**
...**si** la gente **discute.**

Preguntar por el estado de ánimo
- **¿Qué le pasa?**
- **Está preocupado por su novia.**
  nervioso por el examen.
  de mal humor.
  enfadado conmigo.
  contigo.
  con él/ella.

EL CARÁCTER

¿Cómo es?

Es **muy** amable.
antipático/a.

Es **bastante** agradable.
desagradable.

Es **poco** *generoso/a. (ADJETIVOS POSITIVOS)*

Es **un poco** *egoísta. (ADJETIVOS NEGATIVOS)*

No *es* **nada** *celoso/a.*
guapo/a.

Para criticar a alguien
Es un *egoísta.*
una *estúpida.*

CAMBIOS EN LAS PERSONAS

Cambios de estado de ánimo
Se ha puesto **nervioso/a.**
contento/a.
Se ha quedado **preocupado/a.**
angustiado/a.
satisfecho/a.
molesto/a.

Cambios de carácter, personalidad y comportamiento
Se ha vuelto **un sentimental.**
muy tímido.
más sensible.

Desarrollo o evolución personal
Se ha hecho **toda una mujer.**
muy mayor.

CONSEJOS Y VALORACIONES

Impersonales: con Infinitivo
Es bueno/interesante/necesario
escuchar a los hijos.

Personales: con Subjuntivo
Es bueno/interesante/necesario que
escuches a tus hijos.

4 ¿Qué le ha pasado?
Imagina con dos compañeros qué les ha podido pasar, y en qué situación, a las personas de las que hablan estas frases.

1. Cuando las vio se puso nerviosísimo.
2. Se quedaron más tranquilos cuando les dijeron que habían hablado con el niño.
3. Antes era muy idealista pero con lo que le pasó se ha vuelto un poco más realista.
4. Se puso muy contenta. No se lo esperaba.
5. ¿Has visto cómo ha reaccionado? Se ha hecho muy mayor, ¿no?
6. Su hermana ya lo dice: se ha vuelto muy egoísta.
7. Se ha quedado muy preocupado por lo que le han dicho.

Cuando las vio se puso nerviosísimo.
● *Estaba Juan en una fiesta y llegaron su novia y su exnovia juntas.*

5 ¿Hacer eso es bueno o malo? ¿Por qué?
Lee estos dos textos y señala, en cada uno, los tres consejos que te parecen más importantes.

TÚ Y TUS PADRES

Manual del hijo perfecto

① Recuerda que tus padres son humanos y que tienen defectos, como todo el mundo. Y no los compares nunca con los padres de tus amigos.
② Con la edad, todos nos volvemos más rígidos: no esperes que entiendan siempre tus puntos de vista.
③ Disfruta de su compañía. Cuando no los tengas, los echarás en falta.
④ Llámales por teléfono siempre que vayas a llegar tarde. No les des motivos de preocupación innecesariamente.
⑤ Consulta con ellos las decisiones importantes que vayas a tomar.
⑥ Recuerda que son tus padres, no tus amigos.
⑦ Exígeles respeto a tu intimidad y a tus decisiones. Recuerda que tu futuro lo decides tú.

VOSOTROS Y VUESTROS HIJOS

Manual de los padres perfectos

① No tengáis miedo a prohibirles cosas a vuestros hijos. Tenéis que saber decir no.
② Alabadlos cuando hacen algo bien; no comentéis los pequeños fallos que cometan.
③ Buscad todos los días unos momentos para hacer algo con ellos.
④ Escuchadlos cuando hablan, no los interrumpáis, interesaos por lo que dicen.
⑤ No los comparéis con sus hermanos o con los hijos de otros amigos.
⑥ Respetad su personalidad y su forma de ser. Son vuestros hijos, no una copia de vuestros sueños.
⑦ Respetad su vida privada y su intimidad. Ser padres no os da derecho a intervenir en todos sus asuntos.

(*La Vanguardia,* texto adaptado)

Ahora trabaja con un compañero y compara tus opiniones con las suyas. Tenéis que llegar a un acuerdo para elegir los tres consejos más importantes de cada texto.

● *Yo creo que escuchar a los hijos cuando hablan es muy importante.*
○ *Sí, y sobre todo es necesario que los padres se interesen por lo que dicen.*

1 Como en cualquier familia

Se acaba de estrenar esta película. Los personajes quieren ser un retrato de la sociedad española actual. Lee el anuncio que se publica en la prensa.

Estos dibujos pertenecen al guión con el que trabajó la directora.

Gloria sólo vive para sus hijos. Apenas sale con su marido. Esta noche, sí; esta noche van al teatro con otra pareja, un compromiso de Eduardo. Paloma ha venido a "hacerles un canguro".
Gloria dando instrucciones a Paloma: *Mira, Carlitos tarda mucho en dormirse. Léele un cuento y déjale la luz encendida. En el entreacto te llamaré para ver cómo va todo.*
Eduardo: *Vamos, date prisa, que se hace tarde.*

Eduardo tiene muchos problemas en su trabajo. Y está hecho un mar de dudas. Últimamente se siente atraído por Asun, una secretaria de su empresa. Ella lo sabe.
Eduardo: *¿Y a quiénes afecta la reducción de plantilla?*
Director: *Al personal de secretaría...*
Eduardo: *¿A Asun también?*
Director: *Sí, a Asun también.*

Chelo, la hermana de Gloria, es viuda. Últimamente no sabe lo que le pasa, se siente triste y piensa que la vida no vale la pena.
Gloria: *No sé qué hacer. Eduardo está cada día más cerrado en sí mismo. Sólo habla del trabajo, sólo piensa en la empresa...*
Chelo: *Pero a ti, ese Tomás, ¿te gusta de verdad?*
Gloria: *No, ¡qué va! Pero si sólo lo he visto un par de veces, en dos cenas de la empresa de Eduardo.*

Julián estudia en un instituto de enseñanza media. Su mundo: rock y fútbol. Ahora está en la organización de una marcha juvenil antimilitar.
Julián: *Sí, sí. Sábado y domingo... la marcha llega a Madrid el sábado por la mañana, a las 12 concentración ante el Ministerio de Defensa...*
Paloma: *Sí, sí; claro. No sabes lo que me apetece... Pero no sé qué dirán en casa...*

Paloma está enamorada de Julián. Pero sus padres no quieren que salga con él. Su padre trabaja con Eduardo, y éste le ha hablado muy mal del chico.
Paloma: *Es un tío muy enrollado, está metido en un montón de actividades; ahora se ha hecho de una ONG... no sé, creo que es algo pacifista, contra el ejército y los gastos militares... Mira, y es divertido... De momento no sabe qué va a hacer cuando termine el bachillerato. El sábado viene a la fiesta... ya verás qué tío tan...*

OS SERÁ ÚTIL...

Relaciones entre personas
A **está enfadado/a con** B.
A **tiene problemas con** B.
A **se lleva bien/mal con** B.
A **se entiende bien con** B.
A **se ha peleado con** B.

A **y** B **están enfadados/as.**
A **y** B **tienen problemas.**
A **y** B **se llevan bien/mal.**
A **y** B **se entienden muy bien.**
A **y** B **se han peleado.**

A **está enamorado/a de** B.
A **y** B **están enamorados.**

A **se ha enamorado de** B.
A **y** B **se han enamorado.**

Recomendar comportamientos
Lo que tiene/n que hacer es...
Debería/n...
... + *INFINITIVO*
Lo mejor es que + *SUBJUNTIVO*

2 No te pongas así

¿Qué relaciones hay entre los distintos personajes? Márcalo en este diagrama y escribe notas sobre quiénes están enamorados, quiénes se llevan bien, quiénes...

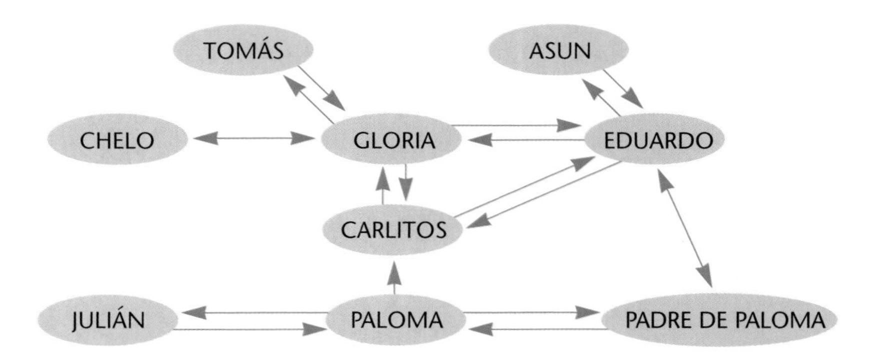

Ahora escucha las conversaciones para ampliar tu información. Después comenta tus notas con dos compañeros. ¿Habéis llegado a las mismas conclusiones?

3 Diagnósticos y recomendaciones

Cada grupo se convertirá ahora en un gabinete de psicólogos. Vais a hacer un análisis de las relaciones que tienen los diferentes personajes y un diagnóstico de sus problemas. Luego prepararéis un informe con una serie de consejos.

MARIO BENEDETTI

Mario Benedetti nació en Paso de los Toros, Uruguay, en 1920. Se educó en un colegio alemán y se ganó la vida como taquígrafo, cajero, vendedor, contable, funcionario público, periodista y traductor. Tras el golpe militar de 1973, renunció a su cargo en la Universidad y tuvo que exiliarse, primero en Argentina y luego en Perú, Cuba y España.

Su obra comprende géneros tan diversos como la novela, el relato corto, la poesía, el teatro, el ensayo, la crítica literaria, la crónica humorística y el guión cinematográfico. Ha publicado más de 40 libros y es uno de los escritores en lengua española más traducido.

Compañera
usted sabe
que puede contar
conmigo
no hasta dos
ni hasta diez
sino contar
conmigo
...
pero hagamos un trato
yo quisiera contar
con usted
es tan lindo
saber que usted existe
uno se siente vivo
y cuando digo esto
quiero decir contar
aunque sea hasta dos
aunque sea hasta cinco
no ya para que acuda
presurosa en mi auxilio
sino para saber
a ciencia cierta
que usted sabe que puede
contar conmigo.

Soñamos juntos
juntos despertamos
el tiempo hace o deshace
mientras tanto

no le importan tu sueño
ni mi sueño

Mi táctica es
mirarte
aprender como sos
quererte como sos

mi táctica es
hablarte
y escucharte
construir con palabras
un puente indestructible

mi táctica es
quedarme en tu recuerdo
no sé cómo ni sé
con qué pretexto
pero quedarme en vos

Tus manos son mi caricia
mis acordes cotidianos
te quiero porque tus manos
trabajan por la justicia

si te quiero es porque sos
mi amor mi cómplice y todo
y en la calle codo a codo
somos mucho más que dos

tus ojos son mi conjuro
contra la mala jornada
te quiero por tu mirada
que mira y siembra futuro

tu boca que es tuya y mía
tu boca no se equivoca
te quiero porque tu boca
sabe gritar rebeldía

USTEDES CUANDO AMAN
EXIGEN BIENESTAR
UNA CAMA DE CEDRO
Y UN COLCHÓN ESPECIAL
NOSOTROS CUANDO AMAMOS
ES FÁCIL DE ARREGLAR
CON SÁBANAS QUÉ BUENO
SIN SÁBANAS DA IGUAL

1 **Lee los fragmentos de poemas de amor de Benedetti y elige los que más te gustan.**

2 **¿Qué relación crees que mantienen los protagonistas de las películas de estos carteles? Imagina cuál es el argumento de alguna de ellas.**

37 38 39 40

En esta secuencia vamos a enviar y a transmitir mensajes a nuestros compañeros de clase. Para ello aprenderemos a:

- ✔ escribir notas y cartas
- ✔ referir lo dicho o escrito por otros

gente y mensajes

1 Ha llamado Alberto

Escucha estas conversaciones telefónicas. Las personas que han respondido a las llamadas han dejado escritos estos mensajes. ¿A cuál corresponde cada conversación? Completa el cuadro.

LAURA:
Ha llamado Alberto. Te pasará a recoger a las 18h.
Ana María

Alberto:
Mamá pregunta si vamos a ir a casa este fin de semana.
Yo sí que pienso ir.
Dice que la llames.
Emilio

ANA MARÍA:
HAN LLAMADO DE LA GESTORÍA ALBÉNIZ. TIENES QUE PASAR A FIRMAR UNOS DOCUMENTOS HOY O MAÑANA, PERO NO MÁS TARDE.
PACO

PACO:
HA LLAMADO TU MUJER.
LLÁMALA ANTES DE LAS 7h A CASA DE TU SUEGRA.
LAURA

LLAMADA Nº	HABLAN		EL MENSAJE ES DE	PARA
____	____________ y	____________	____________	____________
____	____________ y	____________	____________	____________
____	____________ y	____________	____________	____________
____	____________ y	____________	____________	____________

1 Querido Mariano

Contexto

Mariano es el gerente de DEPRISA, una empresa de automoción. Hoy ha recibido en su despacho y en su casa mensajes de todo tipo.

Mariano:
¿Qué tal te va el viernes para jugar un partidito?
Tengo pista reservada a las 10h.
¡Dime algo!
Sebas

<< Mariano Urbano >>

QP — Enviar

Asunto: llegada
Fecha: viernes, 5 de abril
De: pedro_dep@gen.es
Para: m.urban_dep@gen.es

Mariano:
Llego mañana a las 15.38 en un vuelo de Alitalia. ¿Me podrías ir a recoger y hablamos un rato?
Llevo varias cajas, con nuevos productos muy interesantes. Todo ha ido fenomenal. Mañana te cuento.
Ahora voy a ver al Sr. Ferrero.
Un abrazo.
Pedro

Mariano,
Ya he llamado a COMPUGEN por lo del ordenador pero no estaba el técnico.
Ha llamado Pedro Roca desde Italia. Necesita localizarte urgentemente.
Matilde

Papi:
Acuérdate de comprarme el cuaderno de dibujo que me prometiste.
Me lo traes el sábado cuando vengas a recogerme.
Besitos
Marina

Tengo el placer de invitarle a la inauguración de la exposición "Miradas del sur" del pintor malagueño Emilio Santalucía, que tendrá lugar el próximo día 12 a las 19.30h en la sede central del Instituto Quevedo.

TOBÍAS ANASAGASTI

FAX

FAX de: Maite Gonzalvo
PARA: Mariano Urbano
Páginas incluida ésta: 1

Mariano:
La niña y yo estamos planificando las vacaciones de verano. Yo quiero que ella vaya un par de semanas a Irlanda. ¿A partir de qué día exactamente va a estar contigo? Llámame y lo hablamos.
Por cierto, felicidades. ¿No es un día de estos tu cumpleaños?
Maite

SEGUROS ORBIS
Ctra. Alicante, 44
tel.: 94 737 46 32
fax: 94 737 46 46

MARIANO URBANO
DEPRISA
Bailén, 23
28005 MADRID

3 de abril

Muy Sr. nuestro:

Adjunto le remito, como acordamos telefónicamente, los documentos relativos a la póliza de seguros que DEPRISA tiene contratada con nosotros.

Le agradeceremos nos devuelva una de las copias firmadas.

Atentamente,
B. Valerio

Amor mío:
Llegaré tarde, sobre las 9h.
Tengo hora en el ginecólogo a las 7h.
Hay pizzas en el congelador para los niños.
Carmen

Queridos hijos:
Lo estamos pasando estupendamente.
Brasil es un país fascinante y en el grupo hay gente muy agradable. ¡Hoy vamos a Río!
El abuelo ha estado un poco resfriado pero ya está mejor.
No os olvidéis de pasar por casa para dar de comer a los peces y regar las plantas.
Besos a todos, especialmente a los peques.
Virginia y Alfredo.

Mariano Urbano
Deprisa
Bailén, 23
28005 Madrid

Contexto

2 Dígame

Begoña trabaja de secretaria en DEPRISA. Y hoy es un día complicado: algunos ordenadores se han estropeado y es el cumpleaños de Mariano, el jefe. Ah... y Pili, otra de las secretarias, se ha peleado con el novio. El problema es que todos le piden cosas a Begoña. Ahora son las 10h de la mañana.

A ¿De quiénes son los mensajes para Mariano? ¿Por qué le escriben? Márcalo.

ESCRIBE	ES/SON	EL MOTIVO PRINCIPAL DEL MENSAJE ES
Pedro	su exmujer	invitarlo
Marina	su actual compañera	felicitarlo
Maite	un amigo	avisarlo
T. Anasagasti	sus suegros	preguntarle algo
B. Valerio	su hija	pedirle algo
Matilde	su socio	proponerle algo
Carmen	un agente de seguros	enviarle algo
Sebas	una secretaria de DEPRISA	explicarle algo
Virginia y Alfredo	el director de un centro cultural	contarle algo
		recordarle algo

B Observa todos los textos que recibe Mariano: ¿están escritos en el mismo estilo, en el mismo tono? ¿En qué se diferencian unos de otros? ¿Por qué crees que eso es así? ¿Pasa lo mismo en tu lengua?

C Toma nota de todo lo que le piden por teléfono a Begoña. Marca en qué orden harías tú todo lo que le han pedido.

LLAMA	BEGOÑA TIENE QUE	ORDEN
1. Julio, el jefe de contabilidad	____________	☐
2. Manuela, una compañera	____________	☐
3. Bibiana, una amiga	____________	☐
4. Mariano, el gerente	____________	☐
5. Juana, la jefa de ventas	____________	☐
6. Pili, otra compañera	____________	☐
7. Miguel, un compañero	____________	☐

1 Por favor

Basilio está en la cama y no para de pedir cosas a todo el mundo. Prepara las frases que dice. A ver quién inventa más.

- Oye, ¿me pasas el mando a distancia? Es que quiero ver las noticias de la tele.

Si vais a visitar a Basilio, tal vez tendréis que pedirle permiso para hacer estas cosas. ¿Cómo lo diréis?

- subir un poco la persiana para tener más luz
- llamar por teléfono
- poner la tele para ver las noticias
- mirar unas fotos que están sobre la mesa
- beber agua
- bajar la calefacción
- haceros un café
- comeros un plátano

- Oye, ¿te importa si subo la persiana un poco? Está un poco oscuro.

2 No está

Eres la secretaria de Marta Elizalde. Escucha las conversaciones y escribe tres mensajes como éste.

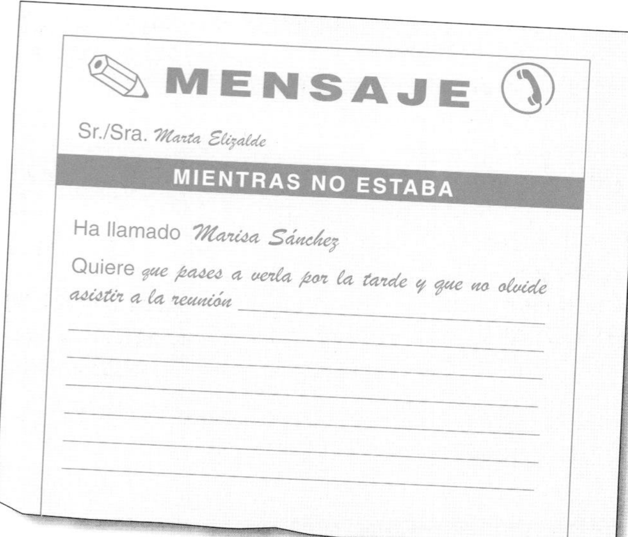

MENSAJE

Sr./Sra. *Marta Elizalde*

MIENTRAS NO ESTABA

Ha llamado *Marisa Sánchez*

Quiere *que pases a verla por la tarde y que no olvide asistir a la reunión*

PEDIR Y DAR COSAS

- **¿Tienes** un bolígrafo? / una goma?
- **Sí, toma.**
  No, no tengo (ninguno/a).

- **¿Me dejas** el paraguas?
- **Sí, cógelo tú mismo.**

PEDIR A ALGUIEN QUE HAGA ALGO

- **¿Puede/s** ayudarme un momento?
  ¿Podrías pasarme las fotocopias?
  ¿Te importaría atender esta llamada?

- **Sí, ahora mismo.** / **claro.**

PEDIR Y DAR PERMISO

- **¿Puedo** hacer una llamada?
- Sí, sí; llama/e, llama/e.

- **¿Te/le importa si** uso el teléfono?
- **No, claro,** llama/e.
  Es que estoy esperando una llamada.

REFERIR LAS PALABRAS DE OTROS

Me ha escrito Iván...
Envía muchos saludos para ti.
Me invita a su casa.
Me cuenta una serie de problemas.
Me felicita por mi nuevo trabajo.
Nos da las gracias por las revistas.

Informaciones (+ *INDICATIVO*)
Me dice que le va muy bien.
Me comenta que ha visto a Eva.
Me cuenta que ha estado enfermo.

Peticiones, propuestas (+ *SUBJUNTIVO*)
Quiere que le mand**e** un libro.
Me pide que pas**e** a verlo.
Dice que le llam**es**.

Preguntas
Me pregunta **si** vamos a ir.
qué queremos.
cuándo vamos a ir.
dónde vives ahora.

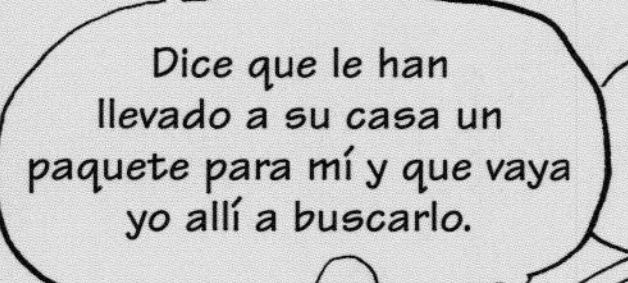

POSESIVOS

Luis, ¿me dejas **tu** llave? **La mía** no va bien.
Me ha pedido **mi** llave. **La suya** no va bien.

mi/mis
el mío la mía los míos las mías

tu/tus
el tuyo la tuya los tuyos las tuyas

su/sus
el suyo la suya los suyos las suyas

nuestro/a/os/as
el nuestro la nuestra
los nuestros las nuestras

vuestro/a/os/as
el vuestro la vuestra
los vuestros las vuestras

su/sus
el suyo la suya los suyos las suyas

3 ¿Tienes unas tijeras?

De todos estos objetos, imagina que tienes tres, sólo tres. Señálalos.

martillo tijeras taladro cinta métrica tornillos aguja de coser
botón plato lazos papel de regalo clavos taco batidora
cuchara cuchillo cinta adhesiva hilo molde

Imagina ahora que estás haciendo una de las siguientes cosas. ¿Qué objetos necesitáis?

PARA	NECESITAS
arreglar una chaqueta que te va grande	________
colgar un cuadro	________
preparar una tarta de fresas	________
envolver un regalo	________
montar un mueble de cocina	________

¿Los tienes? Si no, a ver quién te los presta.

- Víctor, ¿tienes unas tijeras?
- Sí, pero, lo siento, ahora las estoy utilizando. Es que estoy arreglando una chaqueta.
- Y tú, María, ¿tienes unas tijeras?
- Sí, toma.

4 Dice María que...

En parejas tenéis que escribir tres notas como ésta. Pero dais la nota a otro compañero que tiene que transmitir el mensaje a Carlos.

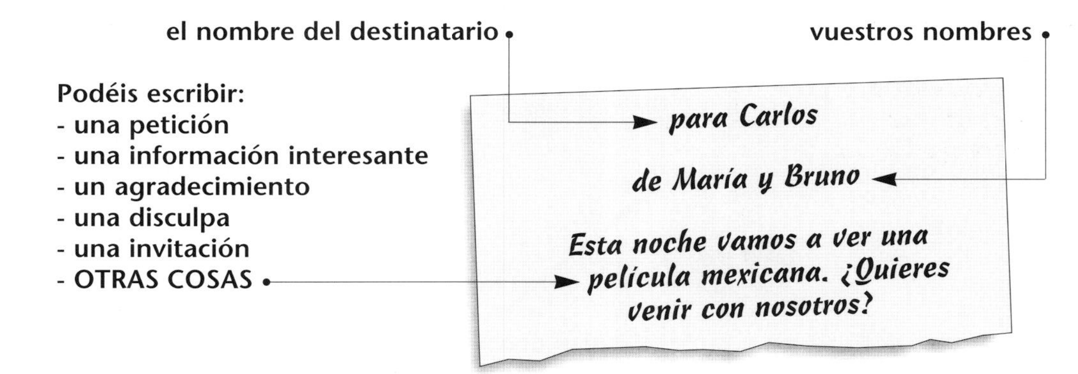

- Carlos: te han dejado una nota María y Bruno. Dicen que esta noche van a ir a ver una película mexicana. Te invitan a ir con ellos.

1 Puede dejar su mensaje después de la señal

Os encontráis en las situaciones que ilustramos en estos seis dibujos. En parejas preparad mensajes para dejar en los seis contestadores correspondientes. Luego, podéis grabarlos y escucharlos.

1. Tu gato está enfermo y llamas al veterinario.

2. Quieres invitar a Luis Eduardo, un amigo español, a tu fiesta de cumpleaños.

3. Quieres pedir hora con la oculista.

4. Quieres informarte sobre los cursos de verano de la Escuela Hispania.

5. Acabas de llegar en avión a la ciudad donde viven unos amigos tuyos y no sabes donde alojarte.

6. Estás enfermo en casa y llamas a un amigo para anular una cita que tienes con él.

Inventa ahora el mensaje del contestador automático de algún personaje famoso. A ver si tus compañeros adivinan de quién es.

El buzón de la clase
Cada uno de nosotros escribe una postal o una pequeña carta a toda la clase.

A ESCRIBIMOS LA CARTA

- La carta o postal está dirigida a toda la clase. No la firmes.

- Tienes que elegir entre estas situaciones para imaginar desde dónde escribes:
  - desde la playa, donde estás pasando las vacaciones.
  - desde una estación de esquí.
  - desde una casa de campo, donde estás descansando.
  - desde un balneario de aguas termales, donde estás haciendo una cura antiestrés.
  - desde una ciudad española, donde estás haciendo un cursillo intensivo de español.
  - OTROS.

- Tienes que contar qué estas haciendo, explicar por qué estás ahí, imaginar que te ha pasado una cosa buena y una mala y pedir un pequeño favor.
- Primero, planifica el texto y escribe un guión de lo que vas a contar. Luego, escribe un borrador, revísalo y después pásalo a limpio.
- Entrega el texto al profesor. Éste los recogerá todos y los redistribuirá.

B EN GRUPOS LEEMOS LAS CARTAS...

- Cada grupo recibirá algunas cartas que debe leer.
- Tenéis que intentar adivinar quién ha escrito cada carta.

● *Yo creo que ésta es de Paul. Escribe desde la nieve y a él le gusta mucho esquiar...*
○ *No, no puede ser. Es de una chica, dice que está muy "contenta".*
■ *Ah, sí, es verdad.*

- Entre todos podéis corregir las faltas, si las hay.
- Tenéis que transmitir a toda la clase el contenido de la carta más divertida.

● *Nos ha escrito un compañero. Dice que...*

C DESPUÉS...

- Podemos escribir algunas respuestas.
- Cada autor recupera su carta para ver las correcciones y recibe la respuesta, si la hay.

OS SERÁ ÚTIL...

Yo creo que esto no está bien escrito.
Esto no se dice así.
no es correcto.
Hay que poner...
Aquí hay una falta.
Esta frase no me suena bien.
¿Se dice ski o esquí?
¿Es correcto decir ski?
¿(Esto) se dice así?
se escribe así?

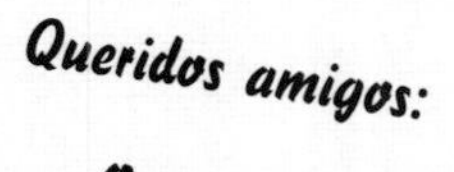

ESCRIBIR y NO ESCRIBIR

Escribir no es fácil. Y menos aún en una lengua extranjera. Lo más cómodo y lo más rápido es hablar; también es lo más seguro: la mirada y los gestos nos ayudan a expresarnos mejor. Y, si vemos que hay un malentendido, lo podemos corregir inmediatamente. Hablar por teléfono ya no es tan fácil porque no vemos la cara de la otra persona, aunque oímos su voz. La voz es un excelente termómetro para percibir las emociones de la otra persona. Cuando escribimos, en cambio, no vemos la cara de la otra persona, tampoco oímos su voz, ni podemos corregir los malentendidos. Por eso es más difícil escribir bien. Además, hay que ser más cuidadosos con la gramática y el vocabulario.

Aprender a comunicarse por escrito en una lengua extranjera puede ser tan importante como hacerlo oralmente: ¿Cómo se dicen las cosas por escrito? ¿Cómo se empieza y se termina una carta? ¿Cómo se envían esas señales de amabilidad de las que oralmente se encargan la mirada, el tono de voz, los gestos...?

Y una pregunta especialmente importante: ¿cuándo escribir? No sólo hay que saber qué escribir y cómo hacerlo. Hay que saber cuándo, porque cada sociedad refleja en la lengua escrita, al igual que en la oral, muchos aspectos de su estructura social, de sus hábitos y de sus valores. Y aprender un idioma es ir descubriendo la relación que hay entre el modo en que se dicen las cosas y los contextos sociales en los que se dicen. En España, por ejemplo, es muy poco frecuente dar las gracias por escrito, que es una cosa habitual, a veces incluso obligada, en otras culturas. Sólo hacen invitaciones por escrito las empresas y las instituciones. Y los novios para las bodas. Además, como regla general, se escribe lo menos posible. Aprender español es también aprender en qué situación escriben los hispanohablantes, o entender por qué no escriben.

1 En tu país, ¿qué textos escribe la gente en su vida cotidiana? Y tú, ¿qué sueles escribir? Imagina cinco situaciones en las que sea normal escribir a alguien.

2 Aquí tienes dos cartas de Federico García Lorca a su amigo Jorge Guillén. La mitad de la clase lee la primera y la otra mitad la segunda. Luego, en parejas, y sin mirar el texto, cada uno cuenta a un compañero del otro grupo el contenido de la que ha leído.

Sr. D. Jorge Guillén (Catedrático de Lengua y Literatura Españolas)
Hotel Reina Victoria, Murcia

(Granada, 2 mar. 26, 8 N. - Murcia, 3 mar. 26, 8 T.)

Mi querido Jorge: Todos los días son días que dedico a tu amistad tan penetrante y tan delicada. Me doy por satisfecho teniéndote a ti, a otros pocos (poquísimos) por amigos. Tu recuerdo y el recuerdo de tu mujer y tus niños es para mí una fiesta de sonrisas y de cordialidad. A Teresita es imposible olvidarla.

Lo que más me conmueve de tu amistad es el interés que te tomas por el poeta. Si yo publico es porque vosotros (¡mis tres!) tengáis los libros... Yo en el fondo no encuentro mi obra iluminada con la luz que pienso..., tengo demasiado claro-obscuro. Tú eres generoso conmigo. Ge-ne-ro-so.

F. García Lorca

Granada, 27 dic. 28. 5 T.

Queridísimo Jorge: Un abrazo cordial de amistad y admiración ferviente de Federico. Ya te escribiré. Saluda a Germaine y a los niños. Felicísimo año nuevo. Año para ti de ruiseñor insomne y luna sin tacha. Año de cosecha y frescura. Tu libro estupendo circula por Granada. Rima con la nieve y con el cielo duro del frío. Bellísimas palabras las tuyas, mágico poema el tuyo. IRREAL poesía la tuya. Realísima virtud planetaria la tuya. ¡Abrazos, abrazos!

Granada. Generalife. Jardines
F. García Lorca

Sr. D. Jorge Guillén (poeta),
"Ateneo", Valladolid

En esta secuencia vamos a hacer un concurso en equipos sobre conocimientos culturales. Para ello aprenderemos a:

- ✔ buscar información y reaccionar ante información nueva
- ✔ dar información con diferentes grados de seguridad

gente que sabe

1 ¿Qué sabemos sobre Argentina, Chile y Uruguay?

Trabajaremos en grupos de tres. Por cada dato que podáis aportar ponéis una señal (✔) en la casilla correspondiente.

	GEOGRAFÍA	POLÍTICA	HISTORIA	ARTE Y CULTURA	COSTUMBRES	OTROS
ARGENTINA	✔					
CHILE	✔					
URUGUAY						

- *La capital de Chile es Santiago.*
- *Sí, y la de Argentina, Buenos Aires.*

2 Nuestros conocimientos en común

¿Qué grupo tiene más datos? ¿Hay datos de los que no estáis seguros? ¿De qué temas no tenéis información? ¿Tenéis interés en algún tema en particular? Informad a la clase.

Nosotros sabemos que ______________________________

Creemos que ______________________ , pero no estamos seguros.

No sabemos nada sobre ______________________________

Estamos interesados en saber cosas sobre ______________________

- *Nosotros no sabemos nada sobre la economía chilena: qué produce, qué exporta...*

3 Saber más

Podéis buscar más información (en enciclopedias, en libros de divulgación, en Internet...) y tomar notas sobre los temas que os interesan más. Os servirán también para preparar las actividades de la lección 41. En ella hablaremos sobre Chile.

1 ¿Qué tal tus conocimientos sobre Chile?

1. Su superficie es de...

- ❑ poco más de 4 millones de km².
- ❑ 760.000 km².
- ❑ casi 30.000 km².

2. Limita con...

- ❑ Brasil, Argentina, Bolivia y el Polo.
- ❑ Perú, el Polo, Bolivia, Argentina y el Océano Pacífico.
- ❑ el Polo, Bolivia, Argentina y el Océano Pacífico.

3. También forman parte de su territorio...

- ❑ casi 2000 islas.
- ❑ 5.800 islas e islotes y una porción de la Antártida.
- ❑ 95 islas y una porción de la Antártida.

4. Nevado Ojos del Salado, situado en Chile, es...

- ❑ el lago más grande de Suramérica.
- ❑ el pico más alto de los Andes.
- ❑ el volcán más alto del mundo.

5. Chile tiene una densidad de población de...

- ❑ 18 hab/km².
- ❑ 210 hab/km².
- ❑ 56 hab/km².

6. El país tiene territorios en...

- ❑ tres continentes.
- ❑ dos continentes.
- ❑ un continente.

7. Es el primer productor mundial de...

- ❑ plata.
- ❑ cobre.
- ❑ mercurio.

8. Obtuvo la independencia...

- ❑ de Francia en 1895.
- ❑ de España en 1818.
- ❑ de Portugal en 1680.

9. Tiene una población de...

- ❑ más de 14 millones de habitantes.
- ❑ casi 56 millones de habitantes.
- ❑ 6 millones de habitantes.

10. El 11 de marzo de 1990...

- ❑ un golpe de estado militar puso término al gobierno del presidente Allende e interrumpió la centenaria tradición democrática.
- ❑ ganó las elecciones Salvador Allende.
- ❑ mediante plebiscito, los ciudadanos rechazaron la prolongación del régimen del general Augusto Pinochet y empezó la transición a la democracia.

11. En la isla de Pascua hay...

- ❑ especies animales en vías de extinción.
- ❑ pirámides como las aztecas.
- ❑ enormes esculturas de piedra.

12. Es el único país latinoamericano que cuenta con dos Premios Nobel de Literatura:

- ❑ Gabriela Mistral y Pablo Neruda.
- ❑ Pablo Neruda y Vicente Huidobro.
- ❑ Nicanor Parra y Antonio Skármetta.

13. Uno de los platos más característicos es el pastel de choclo, que es un pastel de...

- ❑ patatas.
- ❑ fruta.
- ❑ maíz.

14. La danza más típica de Chile es...

- ❑ el merengue.
- ❑ el tango.
- ❑ la cueca.

2 Gente sabionda

Contexto

En el concurso de la tele "Gente sabionda" hay dos equipos que han de responder a preguntas sobre países de habla hispana. El tema de hoy es Chile.

Actividades

A Trata de responder individualmente al test de conocimientos sobre Chile. Si tienes dudas, márcalo con un interrogante (?).

B Compara tus respuestas con las de dos compañeros. Deberás exponer las tuyas con distintos grados de seguridad. Después, corrígelas si crees que estabas equivocado.

- Chile tiene 30.000 km², diría yo.
- No, qué va. Es un país muy grande. Tiene muchas islas y una parte de la Antártida.
- ¿Estás seguro?
- Sí, sí, seguro.

C Escucharéis una emisión radiofónica sobre Chile. Con los datos que oiréis, podréis comprobar vuestras hipótesis y cambiar las respuestas si es necesario.

Nosotros nos hemos equivocado en la número 1. Creíamos que Chile tenía 30.000 km².

D Escucha ahora las discusiones de los concursantes de 2 sobre algunas preguntas. Los equipos ganan un punto por cada pregunta acertada. Señala los aciertos en el cuadro. ¿Qué equipo obtiene más puntos en estas preguntas?

Pregunta	4	5	6	7
Equipo A				
Equipo B				

1 Yo no lo sé

Aquí tienes algunas preguntas sobre España. Seguramente muchas de las respuestas no las sabes. Contesta las que sí sabes y prepara preguntas para obtener la información que te falta. Usa ¿Sabes si/cuántas/qué...?

	RESPUESTA	NO LO SABES
¿Hay muchos extranjeros?		*¿Sabes si en España...?*
¿Cuántas islas tiene?		
¿Hay muchas centrales nucleares?		
¿Cuál es la montaña más alta?		
¿Madrid es la ciudad más grande?		
¿A qué hora suelen cenar los españoles?		
¿A qué edad se jubilan los españoles?		
¿Va a haber elecciones pronto?		
¿Qué partido gobierna?		
¿España es un país muy montañoso?		
¿España tiene petróleo?		
¿Tiene problemas de sequía?		

- *¿Sabes si en España viven muchos extranjeros?*
- *No lo sé.*
- *Yo sí lo sé. Hay bastantes, sobre todo magrebíes y jubilados europeos.*

2 No es cierto

¿Cuáles de estas afirmaciones son verdaderas y cuáles son falsas?

1. En España ya no quedan ni osos ni águilas.
2. Los jóvenes españoles viven con sus padres hasta los 20 años, como promedio.
3. El turismo es la segunda industria de España.
4. La mayoría de españoles se casan por la iglesia.
5. En España hay varios volcanes.
6. Los españoles son bastante aficionados al esquí.
7. España es el primer productor mundial de corcho.
8. España es el tercer productor mundial de vino.
9. España tiene dos ciudades en el continente africano.
10. En España se cosechan suficientes aceitunas al año para dar 70 a cada habitante del planeta.
11. Actualmente, España es uno de los países del mundo con mayor índice de natalidad.

- *Yo no creo que el turismo sea la segunda industria.*

Ahora contrasta tus hipótesis con las de tus compañeros.

PEDIR INFORMACIÓN

Preguntas sin partícula interrogativa

¿Sabe/s si...

Preguntas con partícula interrogativa

¿Sabe/s cuál...
cuándo...
cuántos...
quién...
qué...
cómo...
dónde...

Preguntas con partícula interrogativa y preposición

*¿Sabes **de dónde** es Marcelo Ríos?*
*¿Sabes **desde cuándo** España es una democracia?*

RECORDAR

- **¿Recuerdas...**
  ¿Te acuerdas de...
  ...**cuál** *es la capital de Perú?*
- **No lo recuerdo.**
  No me acuerdo.

GRADOS DE SEGURIDAD

- ¿Cuál es la capital de Perú?
- Yo diría que es Lima.
  Debe de ser Lima.

- ¿(Estás) seguro/a?
- No, no estoy del todo seguro/a.
  Sí, segurísimo/a.

Pedir confirmación
- Es Lima, ¿verdad?
  ¿no?
- Sí, Lima.

DESACUERDO

- La capital de Perú es Bogotá.
- No. Bogotá, no.
  No, qué va. Es Lima.
  ¿Bogotá?, no creo.

Insistir
Que sí, que sí.
Que no, que no.

Que no, que no..., que estás equivocado/a. Te digo que es Lima.

AL DESCUBRIR
LOS PROPIOS ERRORES

- La capital de Perú es Lima.
- Sí, sí, es verdad.
  No me acordaba. tienes razón.
  (Ah, ¿sí?) Yo creía que era...
  Yo pensaba que era...
  No lo sabía.

3 Palabras raras

Nunca hemos estudiado estas palabras pero... ¿tienes intuición para adivinar su significado? Discútelo con dos compañeros.

quisquilloso ¿Un árbol, un adjetivo o un pescado?

chanquete ¿Una herramienta, un adverbio o un pescado?

ardilla ¿Una profesión, un árbol o un animal?

frágil ¿Una profesión, un adjetivo o un animal?

araucaria ¿Una profesión, un árbol o una fruta?

bogavante ¿Un marisco, una flor o un objeto?

cerrajero ¿Una profesión, un verbo o un animal?

abanico ¿Un objeto, una planta o una fruta?

- Yo diría que es un animal.
- No, qué va. Yo creo que es una planta.
- Yo tampoco creo que sea un animal.
- Pues ponemos "planta", ¿no?
- Vale, una planta.

Después de que el profesor diga las respuestas correctas, escribe tus errores.

Yo creía que un abanico era una planta.

4 ¿Cómo somos? ¿Cómo son?

Vas a oír a unos latinoamericanos que viven en España. Hablan de cómo son los españoles. Luego, un grupo de españoles nos explican cómo se ven a sí mismos. Completa el cuadro. Luego podéis comentar las contradicciones entre sus opiniones.

¿QUIÉN LO DICE?			
	los latinoamericanos	los españoles	los dos grupos
A los españoles les gusta comer bien.			
Salen mucho.			
No saben divertirse.			
No saben conversar.			
Son muy abiertos.			

1 Un concurso sobre cultura española

Primero trata de responder individualmente a las preguntas. No importa si sólo sabes algunas respuestas.

Ahora se forman equipos en la clase. Por ejemplo, podemos dividir la clase en tres equipos. Los miembros de cada grupo compararán y discutirán sus respuestas, las escribirán y las darán al profesor, quien dirá qué grupo ha ganado.

1. Una ciudad que empiece por M, que no sea Madrid: ____
2. Tres escritores: ____
3. Un músico: ____
4. Dos pintores: ____
5. Un político: ____
6. Un plato típico: ____
7. Dos monumentos importantes: ____
8. Un museo: ____
9. El título de una novela: ____
10. Una película: ____
11. Una región donde se produce vino: ____
12. Un producto que exporta España: ____
13. ¿Qué es el gazpacho? ¿Un pescado o una sopa? ____
14. ¿Dónde se baila flamenco? ¿En el norte o en el sur? ____
15. ¿Quién es Adolfo Suárez? ¿Un político o un pintor? ____
16. ¿Cuántas lenguas oficiales hay en España? ¿Una, dos, tres o cuatro? ____
17. ¿Qué es la Sagrada Familia? ¿Una iglesia gótica o modernista? ____
18. ¿En qué año terminó la dictadura del General Franco? ¿En 1975 o en 1983? ____
19. ¿Qué es Asturias? ¿Una ciudad o una región? ____
20. ¿Qué es más industrial, el norte o el sur de España? ____
21. ¿Se fabrican coches en España? ____
22. ¿Comen mucho pescado los españoles? ____
23. ¿Estuvieron los romanos en España? ____
24. ¿Dónde se cultivan naranjas? ____
25. ¿Quién es actualmente el presidente del gobierno español? ____
26. ¿Dónde está Santiago de Compostela? ____
27. ¿En qué parte de España está Granada? ____
28. ¿Cuál es el prefijo telefónico para llamar a España? ____

OS SERÁ ÚTIL...

Podemos preguntarles...
...si...
...quién...
...cómo...
...dónde...

- ¿Les preguntamos el nombre de un plato típico?
- ❍ Yo no me acuerdo de ninguno. Yo no recuerdo ninguno.

- ¿Alguien sabe dónde está Bilbao?
- ❍ Yo no tengo ni idea.
- ■ **Sí, hombre/mujer,** en el País Vasco.

2 Preparamos un concurso
Vamos a seguir jugando pero ahora vosotros mismos prepararéis nuevas preguntas para los otros equipos. Leed bien la ficha con las reglas del juego.

- Podemos preguntarles el nombre de un deportista español.
- ❍ Buena idea, un tenista, por ejemplo.
- ■ Es muy fácil, ¿no?
- ❍ No tan fácil. Yo ahora no me acuerdo de ninguno.

3 Otro país, otras preguntas
Podemos hacer el mismo juego con vuestros países de origen o con un país que os interese especialmente.

PREPARACIÓN DE LAS PREGUNTAS

- Cada equipo recopila información para formular preguntas sobre temas variados, cuyas respuestas cree conocer (al estilo de lo que hemos visto con Chile o en la actividad 1 de esta lección).

- Después, cada equipo prepara 5 preguntas para cada uno de los otros equipos. Mirad las imágenes: os pueden sugerir temas para formular preguntas.

- Podéis preguntar sobre historia, población, geografía, economía, arte y cultura, personajes famosos, costumbres, etc. Podéis consultar todos los textos de GENTE 2.

REGLAS DEL JUEGO

- Cada equipo entrega por escrito los cuestionarios (al profesor con las respuestas y a los equipos adversarios sin ellas).
- Luego, cada equipo busca las soluciones. Podéis discutir durante unos 15 minutos.
- Un delegado de cada grupo leerá las preguntas y dará las respuestas que haya decidido el grupo.
- El profesor dirá si la respuesta es correcta o no.
- Si un grupo no sabe alguna respuesta, o da una falsa, puede haber "rebote": los otros equipos pueden responder a esa pregunta.

PUNTUACIÓN

Respuesta acertada: +3 puntos

Rebote: +5 puntos

Si un grupo hace una pregunta pero no sabe la respuesta correcta, multa: -5 puntos

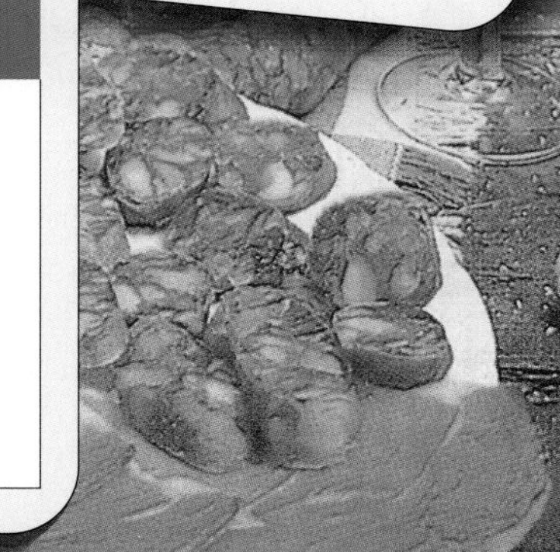

TRES ISLAS MUY ESPECIALES

La Isla de Pascua, en la Polinesia, fue declarada Patrimonio Cultural de la Humanidad por la UNESCO el año 1995 por el enorme interés arqueológico de los vestigios de la cultura *Rapa Nui*. Los *moais*, el más espectacular legado de dicha cultura, le dan a la isla un atractivo único: se trata de más de trescientas enormes esculturas de piedra repartidas por toda la isla. Además, fue también la Isla de Pascua el único lugar de América donde se desarrolló escritura, como lo testimonian unas tablillas llamadas *rongo rongo*. Estos testimonios están tallados en madera de toromiro, árbol autóctono de la isla casi desaparecido pero cuya recuperación se está intentando en la actualidad. La isla tiene una superficie de 160 Km^2 y forma triangular. Cada ángulo corresponde a un volcán, Poike, Rano Kau y Maunga Terevaka, todos ellos inactivos.

La Isla de la Juventud, en Cuba, es una pequeña y acogedora isla que sus primeros habitantes llamaron Camargo, Guanaja o Siguanea. Cristóbal Colón la nombró La Evangelista y Diego Velázquez le puso Santiago; Isla del Tesoro, Isla de las Cotorras o Isla de Pinos fueron otros de los nombres que tuvo este lugar. Se dice que la Isla de la Juventud sirvió de escenario a la célebre novela de Robert Louis Stevenson *La isla del tesoro*, y así quedó para siempre llena de interesantes leyendas.

El Festival de la Toronja es la mayor celebración de la isla. Al compás del sucu sucu, el son y otras modalidades de la música popular, se puede degustar lo mejor de la cocina cubana.

Páginas importantes de la historia de Cuba se han gestado en la Isla de la Juventud. En la Finca El Abra, vivió José Martí en un momento decisivo de su vida; y en el Presidio Modelo fueron encarcelados intelectuales y revolucionarios cubanos.

Su fauna y su flora tropical, las playas y sus fondos marinos de coral la han convertido, en los últimos años, en un paraíso para turistas.

La Palma, una de las islas Canarias, también llamada la Isla Bonita, es extraordinariamente verde y escarpada. En el centro está el mayor cráter que se conoce: La Caldera del Taburiente, declarada Parque Nacional. Su perímetro es de 9 Km y en algunas zonas llega hasta los 770 metros de profundidad. La altura máxima de la isla es el Roque de los Muchachos (2.423 m) donde se encuentra un observatorio astrofísico.

Paisajes extraordinarios, bonitas playas y pueblecitos pintorescos hacen de La Palma una isla muy especial.

1. **Cierra el libro y pregúntale algo a tus compañeros sobre lo que has leído de la Isla de Pascua, de la Isla de la Juventud o de La Palma.**

2. **¿Conoces alguna de estas islas? ¿Sabes más cosas sobre alguna de ellas? Explícaselo a tus compañeros.**

3. **¿En cuál de las tres preferirías pasar unas vacaciones? ¿Por qué?**

MUERTE AL
INVASOR
Coppelia